中小企業診断士

2025年度版

最速合格のための スピード問題集

1 企業経営理論

TAC中小企業診断士講座

ご注意ください

本書はTAC中小企業診断士講座がこれまでに実施した「公開模試、完成答練、養成答練」から良問を精選、収録したものです。これまでに受講されたことのある方はご注意のうえ、ご利用ください。なお、法改正などに対応させるため、必要に応じて改題しています。

2025年度版「スピード問題集」の刊行にあたって

2005年3月に刊行された本書「スピード問題集」は、インプット用の基本テキストである**「スピードテキスト」シリーズに準拠**した、アウトプット用教材です。試験傾向、つまり難易度や出題領域、問題文の構造などは毎年多少なりとも変化しています。本書に収載する問題は、そのような試験傾向の変化を見ながら毎年2～3割程度を入れ替えていますので、**最新の試験傾向を意識した効率的な学習が可能**となっています。

中小企業診断士試験は非常に範囲の広い試験です。60％の得点で合格できることを考えると、学習領域の取捨選択は大変重要です。

「スピードテキスト」と本書「スピード問題集」を併せてご利用いただければ、適切な領域を、適切な深さまで効率的に学習することが可能です。難易度が高い試験ですが、効率的に学習を進めて合格を勝ち取ってください。

ＴＡＣ　中小企業診断士講座
講師室、事務局スタッフ一同
2024年8月

本書の特色

本書で取り上げている問題は、おおむね小社刊「スピードテキスト」の章立てに沿っています。出題領域も、原則として「スピードテキスト」の内容をベースにしていますので、「スピードテキスト」の学習進度に合わせた問題演習が可能となっています。

チェック欄

演習をした日付を記入するためのチェック欄を設けています。演習は繰り返し行いましょう。

問題 1 **経営ビジョン** 1 ／ 2 ／ 3 ／

経営ビジョンに関する記述として、最も適切なものの組み合わせを下記の解答群から選べ。

a 経営ビジョンの策定にあたっては、将来の企業の姿がイメージできるわかりやすい表現にする。
b 経営ビジョンを策定することで、それが組織内で浸透すれば従業員に判断のベースが提供される。
c 経営ビジョンの策定にあたっては、企業ドメインと同一の表現をとらなければならない。
d 経営ビジョンの策定にあたっては、社会的責任に関する記述を必ず盛り込まなければならない。

〔解答群〕

ア aとb　**イ** aとc　**ウ** bとc　**エ** bとd　**オ** cとd

2

問題ページと解答・解説ページが見開きで、答をかくすシートもついているので、学習しやすい！ 移動時間やランチタイムに、ぜひ活用してください！

『スピードテキスト』とのリンク

各解説の冒頭に、「スピードテキスト」の該当箇所を表示しています。これにより、問題演習時に発生した疑問点についても、よりスムーズに解決することができます。

解説 スピテキLink▶ 1編1章2節3項、3章2節

1章

POINT 経営ビジョンとは、企業のトップマネジメントによって表明された、自社の望ましい未来像であり、経営理念で規定された経営姿勢や存在意義に基づき、ある時点までに「こうなっていたい」と考える到達点、つまり自社が目指す中期的なイメージを、投資家や従業員、社会全体に向けて示したものである。

a ○：正しい。
b ○：正しい。
c ×：経営ビジョンと企業ドメインの連動性は求められるが、必ずしも表現が同一である必要はない。
d ×：社会的責任を意…経営ビジョンであることが望ましいことは事実であ…れが要件となるわけではない。

正解 ▶ア

3

ポイント

その問題のテーマや要点をまとめています。

こたえかくすシート

付属のこたえかくすシートで解答・解説を隠しながら学習することができるので、とても便利です。

目　次

第1編　経営戦略

第1章　企業活動と経営戦略の全体概要

第2章　事業戦略（競争戦略）

第3章　企業戦略（成長戦略）

第2章 組織行動論

第3章 人的資源管理

第3編 マーケティング

第1章 マーケティングの基礎概念

第2章 マーケティングマネジメント戦略の展開

第3章 マーケティングリサーチ

第4章 消費者購買行動と組織購買行動

第5章 製品戦略

第6章　価格戦略

第7章　チャネル・物流戦略

第8章　プロモーション戦略

第9章　関係性マーケティングとデジタルマーケティング

第1編
経営戦略

問題1　経営ビジョン

1 ／　2 ／　3 ／

経営ビジョンに関する記述として、最も適切なものの組み合わせを下記の解答群から選べ。

a　経営ビジョンの策定にあたっては、将来の企業の姿がイメージできるわかりやすい表現にする。

b　経営ビジョンを策定することで、それが組織内で浸透すれば従業員に判断のベースが提供される。

c　経営ビジョンの策定にあたっては、企業ドメインと同一の表現をとらなければならない。

d　経営ビジョンの策定にあたっては、社会的責任に関する記述を必ず盛り込まなければならない。

〔解答群〕

ア　aとb　**イ**　aとc　**ウ**　bとc　**エ**　bとd　**オ**　cとd

解説

スピテキLink▶　1編1章2節3項、3章2節2項

POINT 経営ビジョンとは、企業のトップマネジメントによって表明された、自社の望ましい未来像であり、経営理念で規定された経営姿勢や存在意義に基づき、ある時点までに「こうなっていたい」と考える到達点、つまり自社が目指す中期的なイメージを、投資家や従業員、社会全体に向けて示したものである。

a　○：正しい。
b　○：正しい。
c　×：経営ビジョンと企業ドメインの連動性は求められるが、必ずしも表現が同一である必要はない。
d　×：社会的責任を意識した経営ビジョンであることが望ましいことは事実であるが、必ずしもそれが要件となるわけではない。

正解 ▶ ア

問題 2　経営ビジョン

1 ／ 2 ／ 3 ／

経営計画の策定は、企業の抱く長期の目標を設定することからスタートするが、そのためには、企業のビジョンが明確に提示されていなければならない。企業にとってのビジョンは企業の将来のデザインであり、これが明示的でなければ目標も場当たり的なものになりがちだからである。

次の文章は、ビジョンを計画にうまく導くために備えておくべき条件について述べたものである。最も適切なものの組み合わせを下記の解答群から選べ。

a　高邁な言葉で表した使命と社会的責任を必ず盛り込むようにする。

b　将来の会社の姿がイメージできるわかりやすい表現にする。

c　現在の事業活動と結びついた表現をとりながらも、新しい事業を展望できる表現を心がける。

d　企業のビジョンは社是や社訓と同一の表現をとらなければならない。

〔解答群〕

ア　aとb　　**イ**　aとc　　**ウ**　bとc　　**エ**　bとd

解説

スピテキLink▶　1編1章2節3項

POINT　（経営）ビジョンとは、企業の目的や使命、実現・提供すべき企業価値などの「将来のあるべき姿」を明らかにしたものである。経営理念とほぼ同じ概念であり、①モチベーションのベース（企業の構成員の意欲をかきたてる夢を提供する）、②判断（あるいは行動規範）のベース、③コミュニケーションのベース、を提供する役割があるとされる。

a　×：高邁な言葉で表した使命と社会的責任を必ず盛り込まなければならないということはない。あくまで社内外に浸透されるものであることが優先される。

b　○：正しい。経営理念を前提として、具体的にどうなっていたいかを明示したものが（経営）ビジョンである。

c　○：正しい。（経営）ビジョンとは、企業の目的や使命、実現・提供すべき企業価値などの「将来のあるべき姿」を明らかにしたものである。

d　×：社内の従業員に対して示される社是や社訓とは異なり、（経営）ビジョンは社内外に対して示されるべきものである。よって、社是や社訓と同一の表現をとる必要はない。

正解 ▶ ウ

問題3　環境分析

1 ／ 2 ／ 3 ／

文中の①～⑤に入る語の組み合わせとして、最も適切なものはどれか。

外部環境分析とは、企業の直面する外部環境について、[①]となる要因と[②]となる要因を識別することである。外部環境分析の分析対象としては、経済環境等の[③]と個別企業に特有の製品市場環境がある。

内部環境分析とは、企業の経営資源について[④]と[⑤]を識別することであり、生産能力、技術力等のハード面やノウハウ、スキル等のソフト面の両面での分析が行われる。

ア　①強み　②弱み　③マクロ的外部環境　④機会　⑤脅威
イ　①強み　②弱み　③ミクロ的外部環境　④長所　⑤短所
ウ　①機会　②脅威　③マクロ的外部環境　④強み　⑤弱み
エ　①機会　②脅威　③ミクロ的外部環境　④長所　⑤短所

解説

スピテキLink▶　1編1章2節4項

POINT 外部環境分析とは、企業の直面する外部環境について、①：機会（Opportunity）となる要因と②：脅威（Threat）となる要因を識別することである。具体的には、経済的環境や人口動態的環境などの③：マクロ的外部環境と、製品市場といったやや狭い範囲でのミクロ的外部環境を分析する。また、内部環境分析とは、企業の経営資源について、④：強み（Strength）と⑤：弱み（Weakness）を分析することである。

正解 ▶ ウ

問題4 外部環境分析

1 ／ 2 ／ 3 ／

外部環境に存在する事業機会や事業リスクと経営資源との関係に関する記述として最も適切なものはどれか。

ア 同じ産業に属する企業は同種の戦略行動を取るため、似たような経営資源上の強みを保有することになり、事業機会の解釈や認識の仕方が同じになる。

イ 長年にわたって蓄積してきた経営資源上の強みの存在により、かえって技術革新や顧客ニーズの変化といった外部環境の変化がもたらす重要な事業機会やリスクを見落としてしまうことがある。

ウ 産業内で自社にとって脅威となるのは、自社よりも質的・量的に優れた経営資源を持つ既存の同業者であるので、それらの動向のみを分析して経営戦略を立案するべきである。

エ 情報的経営資源は、他の経営資源と比べて市場からの調達可能性が高いため、事業機会や脅威の分析の際には、通常、あまり考慮しない傾向がある。

解説

スピテキLink▶ 1編1章2節4項

POINT 企業の内部資源と企業を取り巻く外部環境からビジネス環境を分析するフレームワークとしてSWOT分析がある。外部環境分析では機会となる要因と脅威となる要因を識別する。内部環境分析では、企業の経営資源について強みと弱みを識別し、生産能力、技術力といったハード面だけでなく、ノウハウ、スキルといったソフト面についても分析の対象となる。

ア ×：同じ産業内の企業であっても、たとえば差別化戦略、コストリーダーシップ戦略、集中戦略といった選択肢があり、その結果、経営資源の質や量に違いがある。よって、事業機会の解釈や認識の仕方も異なる。

イ ○：正しい。長年にわたって蓄積してきた経営資源上の強みが、技術革新や顧客ニーズの変化といった外部環境の変化の結果、薄れてしまう場合も多い。その結果、経営資源上の強みがかえって足かせとなり、重要な事業機会やリスクを見落としてしまうことがある。

ウ ×：競争環境の分析にあたっては、同業者のみならず、新規参入企業や代替品の出現の可能性（これらが重要な事業上の脅威となる）を考慮する必要がある。

エ ×：技術ノウハウやスキル、ブランド力などの情報的経営資源は他の経営資源（ヒト・モノ・カネ）と比べて市場からの調達可能性が低く（言い換えれば入手が困難で貴重な経営資源である）、競争優位の源泉となり得る。よって、事業機会や脅威の分析の際にも重要視する。

正解 ▶ イ

問題5 経営計画

1 ／ 2 ／ 3 ／

経営計画策定に関する記述として、最も適切なものはどれか。

ア 環境不確実性が高い状況においては、策定した基本計画を柔軟に変更する必要性が生じるが、不測の事象を踏まえて基本計画に修正を加えるものをコンティンジェンシープランといい、この修正は自社の業績に対する影響の大きい事象が生じた際に行われる。

イ PDCAサイクルを緻密に行うためには、長期経営計画は毎年新規に策定していくことが有効になる。

ウ BCPは、自然災害やその他大規模な社会的混乱が生じた場合に、自社の経営資源への影響を最小限に留め、事業の維持または早期復旧のために、自社のみで行いうる対応策を事前に作成することを意味する。

エ クライシス・マネジメントは、事前に想定することの困難性が高い危機的状況に直面した際に、組織としてその被害を最小限に抑えるために行う一連の活動および対処法である。

解説

スピテキLink ▶ 1編1章2節5項

経営計画とは「誰が」「いつ」「何を」行うのかを特定化した、企業で策定される諸計画である。

ア ×：環境不確実性が高い状況において、策定した基本計画を柔軟に変更する必要性が生じることは正しい。そして、その基本計画に修正を加えるケースもあるが、自社の業績に対する影響の大きい事象が想定される場合、それが生じた際の別のプランを事前に策定しておく場合があり、これをコンティンジェンシープランという（基本計画に修正を加えるものではない）。

イ ×：PDCAサイクルを緻密に行うということは、計画を実行した結果を踏まえ、計画の見直しを図る、というサイクルを高い頻度で、綿密に行うということである。しかしながら、長期経営計画は、通常は3～5年といったある程度の期間を見据えたものである。もちろん、状況によっては計画期間内に策定し直す可能性はあるが、そもそも毎年新規に策定していくものではない。

ウ ×：BCPが、自然災害やその他大規模な社会的混乱が生じた場合に、自社の経営資源への影響を最小限に留め、事業の維持または早期復旧のための対応策を事前に作成することであるのは正しい。しかしながら、事業継続には外部を含めた協力体制の維持が重要であり、外部関係者も含めた対応計画を作成する必要がある。よって、自社のみで行いうる対応策というわけではない。

エ ○：正しい。クライシス・マネジメントとは、事業継続や組織そのものの存続を脅かすような危機的状況に直面した際に、組織としてその被害を最小限に抑えるために行う一連の活動および対処法である。発生の確率は低いものの、ひとたび起これば組織への影響が甚だしい重大なリスクであり、事前に予測するのが困難な事象に対するマネジメントである。

正解 ▶ エ

問題 6　経営管理

1 ／　2 ／　3 ／

企業が戦略を実行していくには、計画の策定をはじめとした効果的なマネジメントが必要になる。これに関する記述として、最も適切なものはどれか。

ア　PDCAサイクルを進めるにあたっては、たとえ精度の高いP（Plan）であったとしても、実際にそのとおりに実行されるとは限らないため、A（Action）の段階において組織構成員の動機づけを図ることが重要になる。

イ　計画の進捗状況は経営企画部門が厳格に管理を行い、必要に応じて修正の指示を各部門に通達することが計画内容の実行のためには大切になる。

ウ　長期の経営計画は、企業の理念やビジョンとの整合性がより高いものであるため、短期計画とは異なり、途中で変更をするものではない。

エ　コンティンジェンシープランを策定しておくかどうかは、不測の事態が生じた場合のインパクトやその発生確率、作成コストなどを考慮して判断することが望ましい。

解説

スピテキLink▶　1編1章2節5項

経営管理とは、経営目標を達成するために、文字どおり経営におけるあらゆる面を管理することである。そのためのフレームワークとして、PDCAサイクル（PDSサイクル）がある。

ア　×：PDCAサイクルを進めるにあたっては、精度の高い計画（Plan）を策定したうえで、組織構成員の動機づけを図り、指揮・命令することによって実行（do）していくことになる。また、実行結果を評価（check）し、必要に応じて修正（action）し、次の計画（plan）へと活かしていく。よって、組織構成員の動機づけを図ることが重要になるのは、実行（do）の段階である。

イ　×：経営企画部門が厳格に管理を行ってしまうと、現場の状況と乖離した指示になってしまう可能性が高く、現場に不信感が生じかねない。また、経営企画部門はスタッフ部門であり、公式な形での指揮命令権は保持していないことが一般的であり、命令統一性の原則に反することにもなる。

ウ　×：確かに長期の経営計画は、企業の理念やビジョンとの整合性が高いものである必要があるが、環境の不確実性の高い状況においては計画が陳腐化したり、策定時点では予期しなかった事象が起こったりする可能性も高い。よって、状況に応じて変更していくことが必要になる。

エ　○：正しい。コンティンジェンシープランとは、不測の事態が生じるなどによって正規の計画が機能しなくなった場合のために、事前に用意しておく第2の計画のことである。しかしながら、当然策定するにはコストや時間を要するため、実際に策定しておくかどうかは、不測の事態が生じた場合の損失のインパクトやその発生確率などとの比較のうえで判断する必要がある。

正解　▶ エ

問題 7 分析型アプローチとプロセス型アプローチ

1 ／ 2 ／ 3 ／

昨今の経営環境は変化のスピードが速く、不確実性の高い状況になっている。このような状況における企業の戦略アプローチに関する記述として、最も不適切なものはどれか。

ア 過去の定量的なデータや事例などを詳細に分析することの有効性が低下する。

イ 本社の経営企画部門だけで策定する戦略は、現場の状況が反映されないことから、リスクの高い実験的なものになる可能性が高くなる。

ウ プロセス型アプローチは、内部資源による競争優位性の構築に焦点を当てたものであり、これが形成されるプロセスに着目したものである。

エ 事前に想定することが困難な事象に対応することが求められるため、状況に応じて戦略を事後的に創発していくことが求められる。

解説

スピテキLink▶　1編1章2節5項

POINT 分析型アプローチとは、事前の分析に基づいて戦略を構築していくアプローチであり、プロセス型アプローチとは、戦略を実行していくプロセスにおいて、常に戦略を見直して創発していくアプローチである。

ア　○：正しい。環境の不確実性が高いということは、過去とは異なる状況になる可能性が高く、また先を見通すことも困難になる。このような状況においては、過去の定量的なデータや事例などを分析しても、その中には今後の方向性を指し示す答えがないことが多い。よって、分析することの意義がないわけではないが、有効性という点では低下することになる。

イ　×：本社の経営企画部門だけで戦略を策定するのであれば、現場の状況が反映されないというのは正しい。しかしながら、本社の経営企画部門による戦略は、過去の精緻な分析によって定量的に導き出されるものになりがちであり、相対的にリスクの低い（保守的な）戦略を採用する可能性が高くなる。なお、本社の経営企画部門が策定する戦略は、環境が安定的な状況においては機能しやすかったが、環境の不確実性が高い状況においては、変化する状況に応じた戦略構築が困難になるため、相対的に機能しにくくなる。

ウ　○：正しい。プロセス型アプローチは、事業活動を行う中で生じる予期せぬ事象を学習の機会ととらえ、常に戦略を見直し、修正を加えていくものである。つまり、蓄積されていく情報的経営資源（内部資源）を源泉にして競争優位性を構築していくものであり、これが形成されるプロセスに着目したものである。

エ　○：正しい。環境の不確実性が高い状況では、事前に想定することが困難な事象に対応することが求められる。よって、戦略を事前に構築していくのが困難であるため、状況に応じて事後的に創発していくことが求められる（創発戦略）。

正解　▶　イ

問題 8 競争戦略

1 ／ 2 ／ 3 ／

「競争戦略」に関する下記の設問に答えよ。

設問 1 ポーターの５つの競争要因

競争構造を分析する前提として、ポーターは、特定の事業分野における競争状態を決定する５つの要因をあげている。４つは「既存業者間の敵対関係」「新規参入企業の脅威」「売り手の交渉力」「買い手の交渉力」であるが、残りのもう１つとして、最も適切なものはどれか。

ア 規制緩和　**イ** 代替品の脅威　**ウ** 情報技術の進歩
エ 消費者ニーズ　**オ** 移動障壁

設問 2 参入障壁

競争要因のひとつとして、「新規参入企業の脅威」があげられている。新規参入企業の脅威の大きさは、現在の参入障壁の程度や、既存の競争業者からの反発の程度によって変わる。参入障壁に関する説明として、最も不適切なものはどれか。

ア 既存企業は新規参入しようとする企業に対し、参入障壁を強固に構築するほど、新たな事業分野への進出といった経営の柔軟性が高まることになる。

イ 既存企業により流通チャネルの確固たる統制が行われており、新規参入業者が参入に際し多大なコストを要する場合や、新たなチャネルを設ける必要がある場合には、これらが参入障壁となる。

ウ 既存企業の持つ製品技術が特許により独占的な状態にある場合、新規参入企業は規模とは無関係にコスト面で不利な立場になり、これが参入障壁となる。

エ 既存企業のプロモーション活動により、その企業のブランドや製品が顧客に確固たるブランドロイヤルティを形成させている場合、新規参入業者はそれを上回る広告宣伝投資を行う必要があり、これが参入障壁となる。

解説

スピテキLink▶　1編2章2節1〜4項

POINT　M.E.ポーターは、特定の事業分野における競争状態を分析する要因として、①新規参入企業の脅威、②代替品の脅威、③買い手の交渉力、④売り手の交渉力、⑤既存業者間の敵対関係の5つをあげ、これらの要因を分析することを通して、業界の収益構造や競争の鍵を発見したり、将来の競争の変化を予測できるとしている。5つの要因のうちのどれが業界の構造を決定する重要な要因となるかは業界によって異なる。

また、新規参入企業の脅威に対処する競争回避の戦略として、参入障壁を築くことがあげられる。参入障壁の具体例としては、①規模の経済性、②製品差別化、③巨額の投資、④流通チャネル、⑤独占的な製品技術、⑥経験曲線、⑦政府の政策、等がある。

設問 1

POINTでの説明にあるとおり、イの「代替品の脅威」が適切である。

代替品とは、ある製品と同じ機能をもつ製品であり、その製品を保有することにより従来の製品が不必要になるような製品のことである。このような代替品の登場により、既存の製品との競争が激化する。

正解 ▶ イ

設問 2

ア　×：参入障壁に守られた業界に安住していると経営が保守的、硬直的になりがちである。また、巨額の設備投資など参入障壁自体が容易に捨て去り難いものであれば、逆に足かせとなり経営の柔軟性が失われることになる。

イ　○：流通チャネルは参入障壁のひとつであり、正しい。

ウ　○：独占的な製品技術は参入障壁のひとつであり、正しい。新規参入企業は、特許の使用料を既存企業に対し支払うことになる。

エ　○：参入障壁のひとつである製品差別化の説明であり、正しい。

正解 ▶ ア

問題 9　既存業者間の敵対関係

1 ／　2 ／　3 ／

産業内での企業間の敵対関係が激化する要因として、最も適切なものはどれか。

ア　少数の企業間の経営資源や事業規模に明確な格差がある場合。
イ　産業の市場規模の成長が速い場合。
ウ　生産における固定コストが低い場合。
エ　製品の標準化が進み、機能面での差別化が困難である場合。
オ　産業内への新規参入企業があまり見られない場合。

解説

スピテキLink▶　1編2章2節2項

POINT ポーターによる5つの競争要因のひとつである既存業者間の敵対関係に関する問題である。既存業者の敵対関係は、主に①同業者の数が多い、②似通った企業が競争している、③業界の成長が遅い、④固定コストまたは在庫コストが高い、⑤製品を差別化するポイントがない、⑥撤退障壁が高い、などの場合に激化する傾向がある。さらに、規模の経済を追求するのに生産能力を一挙に大量に増やす必要がある産業では、生産能力を増加したために、産業内の需給バランスが長期にわたり破壊される（つまり超過供給になる）ということが起き、その結果、価格競争が激化する。

ア　×：少数の企業間の経営資源や事業規模が似通っている場合に、産業内での企業間の敵対関係が激化する。

イ　×：産業の市場規模の成長が遅い場合に、産業内での企業間の敵対関係が激化する。

ウ　×：生産における固定コストが高い場合に、産業内での企業間の敵対関係が激化する。

エ　○：正しい。製品の標準化が進み、機能面での差別化が困難である場合は、価格による競争が激しくなる。

オ　×：産業内への新規参入企業が増加している場合に、産業内での企業間の敵対関係が激化する。

正解 ▶ エ

問題 10　業界構造

1 ／　2 ／　3 ／

業界構造の分析に関する記述として、最も適切なものはどれか。

ア　生産能力の拡張が需要の拡大に合わせて小刻みに行いやすい業界の場合、製品価格の値崩れは起こりにくく、相対的に業界内の競争は緩やかになる可能性が高くなる。

イ　固定費用の比率が高い費用構造である場合や、在庫費用が高い場合には、超過需要状態に陥り、競争が激しくなる。

ウ　ハーフィンダール指数が高い業界の場合、業界企業の数が多く、企業規模が拮抗し、競争が激しくなる。

エ　業界企業にとっての売り手は、利益の配分の点では協力関係である一方、最終ユーザーからの獲得利益においては競合関係にある。

オ　買い手の集中度が低かったり、製品が標準化されていなかったりする場合には、買い手の交渉力が強くなる。

解説

スピテキLink▶ 1編2章2節2項

業界構造の分析に関する問題である。

ア ○：正しい。生産能力の拡張が需要の拡大に合わせて小刻みに行いやすい業界の場合、過剰生産とはならないことから、業界全体として超過供給状態になりにくい。よって、自社製品を値下げしてでも売りさばく、といった状況にならない（製品価格の値崩れは起こりにくく、相対的に業界内の競争は緩やかになる可能性が高くなる）。

イ ×：固定費用の比率が高い費用構造である場合や、在庫費用が高い場合には、操業度を上げることになる。その結果、超過供給状態に陥り、競争が激しくなる。

ウ ×：ハーフィンダール指数とは、業界内における市場シェアがどの程度特定の少数企業に集中しているかについて、個別企業の分布の状態も踏まえて表す指数である。そして、指数が高い業界の場合、業界企業が少なく、企業の規模が大きいところと小さいところが存在するなど、ばらつきが大きくなる。業界企業の数が多く、企業の規模が拮抗している場合に競争が激しくなることは正しい。なお、ハーフィンダール指数は、業界内のすべての企業の市場シェアの2乗の和として求められる。たとえば企業数が5社であるA業界とB業界があり、A業界は1社が80%、残り4社が各5%の市場シェア、B業界は各社平等に20%ずつの市場シェアをもつ場合、ハーフィンダール指数はそれぞれ0.65、0.2である。

エ ×：業界企業にとっての売り手は、部品や原材料といった必要な資源を供給してくれる存在であるが、売り手側とすれば、高い価格で販売して利益を獲得したいと考え、その場合、業界企業が獲得する利益を減少させることになる。よって、利益の配分の点では競合関係にある。一方、最終ユーザーに販売したいという点においては目的が同じであるため、最終ユーザーからの獲得利益においては協力関係にある。

オ ×：買い手の集中度とは、その業界における買い手の数であり、集中度が高いということは、買い手の数が少ないということである。よって、買い手の集中度が高い場合には、売る側である業界企業にとっては、販売相手が少なく、買い手の意向に沿う必要性が高くなるため、買い手の交渉力が強くなる。また、製品が標準化されている場合には、買い手にとっては特定の業界企業からしか買えないわけではないため、買い手の交渉力が強くなる。

正解 ▶ ア

Memo

問題11 5フォース分析

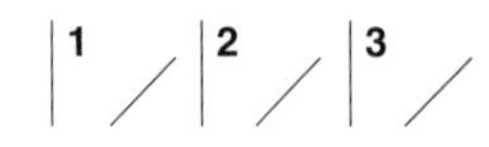

業界の構造分析に関する記述として、最も適切なものはどれか。

ア 市場成長率が高い業界では、顧客獲得の競合度合いが激化し、業界全体の収益率は低くなる。

イ 固定費が高い業界では、各企業が過剰生産を抑制して収益性を確保するインセンティブが働きやすいため、結果的に業界全体の収益率は高くなる。

ウ 多様な事業背景を持つ企業が参入している業界では、それぞれの背景を生かした製品展開を行うことで製品の差別化が図られやすいため、当該市場における競合度合いは緩やかになる。

エ 当該業界にとっての売り手となる業界への新規参入が相次ぐ状況では、当該業界に属する企業の売り手に対する交渉力は高くなる。

オ 当該業界で取り扱う財の供給が世界的に希少化している状況では、当該業界の買い手となる業界に対する交渉力は低くなる。

解説

スピテキLink▶　1編2章2節2項

ポーターの業界の構造分析のフレームワークである5フォース分析に関する問題である。

ア　×：市場成長率が高い業界とは、当該業界にとっての新規顧客の増加が顕著な業界である。市場成長率が低い業界と比較して、製品価格を値下げするなどして競合他社から顧客を奪う必要性が低いため、業界全体の収益率は高くなる。

イ　×：固定費が高い業界では、各企業が生産量を増加させることで、製品1単位あたりの固定費を分散させ低コストでの生産を志向する。これにより、市場に多くの製品が流通することになり、過剰供給による価格競争を引き起こしやすいため、業界全体の収益率は低くなる。

ウ　×：多様な事業背景を持つ企業が参入している業界では、それぞれの企業の当該市場における事業戦略の方向性に違いが見られる場合がある。たとえば、当該市場にのみ属する企業は当該市場で利益の最大化を図る必要があるが、別の市場を主な標的市場としながら当該市場にも参入している企業においては、当該市場では大きな収益を得られなくても顧客さえ獲得できればよい、と考えることがある。この場合、当該市場では価格競争が激化することとなり、当該市場における競合度合いは激しくなる。

エ　○：正しい。当該業界にとっての売り手となる業界への新規参入が相次ぐ状況では、売り手となる業界内の企業数が増加し、業界内での競争が激しくなることとなる。したがって、買い手となる当該業界にとっては、優位な立場で交渉を行うことができるようになる。

オ　×：当該業界で取り扱う財の供給が世界的に希少化している状況では、財の価値が相対的に高まることとなる。したがって、当該業界の買い手となる業界に対する交渉力は高くなる。

正解 ▶ エ

問題12 経験曲線効果

1 ／ 2 ／ 3 ／

経験曲線効果についての説明として、最も適切なものの組み合わせを下記の解答群から選べ。

a 経験曲線効果とは、生産規模の拡大につれて、製品1単位あたりの生産コストが一定の割合で減少するという経験則である。

b 経験曲線効果とは、製品の累積生産量が増加するにしたがい、製品1単位あたりの生産コストが減少するというものである。

c 経験曲線効果が発生する理由は、企業のコスト構造における固定費の存在である。

d 経験曲線効果が発生する理由は、作業者の熟練や生産工程の改善等による効率性の向上によるものである。

〔解答群〕

ア aとc　**イ** aとd　**ウ** bとc　**エ** bとd　**オ** cとd

解説

スピテキLink▶ 1編2章2節4項

POINT 経験曲線効果とは、「製品の累積生産量が増加するにしたがい、製品1単位あたりの生産コストが減少する」という生産量とコストの関係を示すものである。経験を重ねることによる作業者の熟練、生産工程や生産設備の改善等により、経験曲線効果が得られると考えられている。

a ×：「生産規模の拡大につれて、製品1単位あたりの生産コストが一定の割合で減少する」のは、規模の経済性についての説明である。

b ○：POINTでの説明のとおりであり、正しい。

c ×：経験曲線効果の発生理由は、作業者の熟練や生産工程等の改善による効率性の向上である。「企業のコスト構造における固定費の存在」は、規模の経済性の発生理由である。

d ○：POINTでの説明のとおりであり、正しい。他の理由として、作業の標準化や作業方法の改善があげられる。

正解 ▶ エ

問題 13　競争戦略

1 ／　2 ／　3 ／

競争戦略に関する記述として、最も不適切なものはどれか。

ア　規模の経済性とは、生産量の増加によって製品1個あたりの平均費用が低下していく現象であり、大規模生産体制を築くことで実現できる。

イ　経験曲線効果が重要な競争要件になる業界では、事業規模を継続して拡大していかなければ競争優位を維持するのが困難になる。

ウ　集中戦略を採る場合、ターゲットセグメントが狭いため、経営資源を豊富に有する競争業者との差異が失われた場合に、大幅に市場シェアを失うリスクがある。

エ　コストリーダーシップ戦略を採る企業が、低価格での製品販売による市場シェアの拡大を図ると、他社よりも早い段階で大きな経験曲線効果が得られる。

オ　ニッチャー企業は、リーダー企業が扱わない、もしくは気がついていない特定市場に特化して、限られた経営資源を集中投入することで高い製品品質を実現していく。

解説 スピテキLink▶ 1編2章2節4・5項、3節1項

競争戦略に関する問題である。

ア ○：正しい。規模の経済性とは、企業の規模や生産量が増大するに従い、平均費用（製品1個あたりの生産コスト）が逓減していく現象である。大規模生産体制を築けば、このような状況を実現することができる。なお、規模の経済が競争要件である業界では、参入初期から大量生産を実施する必要性が高く、このことが参入障壁となる場合が多い。

イ ×：経験曲線効果とは、製品の累積生産量が増加するに従い、製品1個あたりの生産コストが一定の割合で減少する経験則のことを指す。規模の経済は大規模生産体制の構築などにより、短期間で実現することも可能であるが、経験曲線効果は作業者の熟練度合いや生産工程の改善など時間的な要因が大きい。そのため、必ずしも事業規模を継続して拡大していかなければその効果を得ることができないというわけではない（競争優位を維持するのが困難になるわけではない）。なお、経験曲線効果が働いている業界に新規参入を図る場合には、参入してすぐに優位性を築くのは困難であるため、参入障壁が高くなる。

ウ ○：正しい。集中戦略は自社の能力にマッチした一部の市場セグメントに焦点をあてたうえで、その市場において差別化の面やコストの面で優位に立つ戦略である。ただし、仮に経営資源を豊富に有する競争業者との間でそれらの差異が失われれば、もともと対象セグメントの市場規模が小さいため、大幅に市場シェアを失うリスクがある。

エ ○：正しい。コストリーダーシップ戦略とは、競合と同種の製品をより低いコストで生産する戦略である。この戦略を採る場合、規模の経済性や経験曲線効果などによって低コスト体質を築くことが必要になる。よって、低価格での製品販売によって市場シェアを獲得することができれば、他社よりも早い段階で大きな経験曲線効果を享受することができる。

オ ○：正しい。ニッチャー企業はリーダー企業が採算性の面などから扱わ

ない分野や気がついていない分野で事業を展開する戦略である。市場規模は小さいが、自社の強みを十分に発揮して付加価値の高い製品を提供することで、高収益体質を築く。

正解 ▶ イ

Memo

問題14 競争戦略

1 ／ 2 ／ 3 ／

競争戦略に関する記述として、最も適切なものはどれか。

ア 差別化戦略は、標的市場を絞り込み、顧客から認められる提供価値の独自性を高めることが要件となる。

イ コストリーダーシップ戦略を採用する場合、市場に早期に参入し、低価格で製品を販売することにより、市場シェアを獲得する必要がある。

ウ 1つの企業が複数の競争戦略を同時に志向すると、いずれかの競争戦略に特化した競合企業に挟まれ身動きが取れなくなる「スタック・イン・ザ・ミドル」と呼ばれる状況に陥ることが回避できないため、企業は複数の競争戦略を採用せずに1つの戦略に特化しなければならない。

エ バリューチェーンの分析においては、価値提供のプロセスである各機能をそれぞれ独立に強化することで、差別化や低コスト化を推進することが重要とされる。

オ 顧客のスイッチングコストが大きい業界においては、後発企業は、先発企業の顧客を奪うことの困難性が高く、優位性は低くなる。

解説

スピテキLink ▶ 1編2章2節5項

競争戦略に関する問題である。

ア ×：差別化戦略は、顧客から認められる提供価値の独自性を高めることが要件となることは正しい。しかしながら、標的市場を絞り込むことは差別化戦略の要件ではない。標的市場を絞り込む戦略は差別化戦略ではなく、集中戦略である。標的市場を絞り込むことと、顧客から認められる提供価値の独自性を高めることを両立させた戦略は差別化集中戦略として存在するが、標的市場を絞り込むことは差別化戦略の要件とはいえない。

＜競争の３つの基本戦略＞

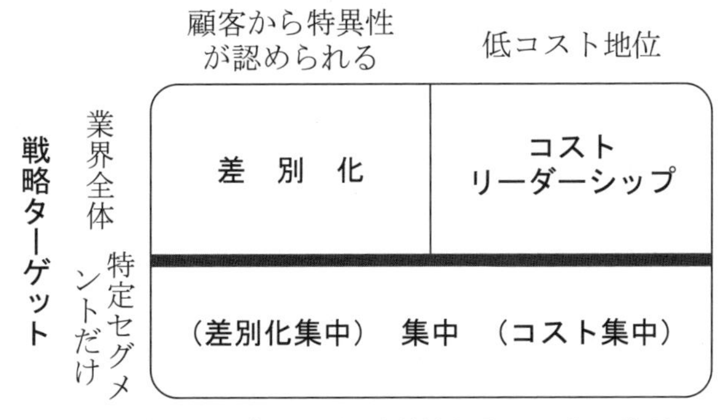

（『新訂 競争の戦略』M.E.ポーター著　土岐坤ら訳　1995年　ダイヤモンド社　p.61）

イ ×：コストリーダーシップ戦略を採用する場合、市場に早期に参入して市場シェアを獲得し、累積生産量を増加させることによって経験曲線効果による低コスト化を志向することは、戦略の方向性の１つである。しかし、低コスト化を図るためには、大規模生産による規模の経済や、複数事業を効率的に運営することによる範囲の経済を源泉とする場合もある。よって、コストリーダーシップ戦略を採用する場合、市場に早期に参入し、市場シェアを早期に獲得する必要があるとはいえない。また、コストリーダーシップ戦略は、低コスト生産により優位性を構築することを指すが、必ずしも低価格で製品を販売するとは限らない。

ウ　×：複数の競争戦略を同時に志向するがあまりに、いずれかの競争戦略に特化した競合企業に挟まれ身動きが取れなくなる状況を「スタック・イン・ザ・ミドル」ということは正しい。たとえば、中途半端に低コスト化と差別化の両方を志向した場合、低コスト化に特化した企業にはコスト面で劣位となり、差別化に特化した企業には、その優位性で劣位となる、ということである。しかし、選択肢アで触れた差別化集中戦略のように、バリューチェーンを調整して複数の競争戦略を有効に採用する企業も多く存在する。したがって、企業は複数の競争戦略を採用せずに1つの戦略に特化しなければならないということはない。

エ　×：バリューチェーンは価値提供のプロセスである各機能を、低コスト化や差別化の要因とするために、各機能およびその関係性について分析するフレームワークである。バリューチェーンの分析においては、それぞれの機能を独立に強化するよりも、複数の機能を連携して強化することにより他社による模倣の実現性を低下させることが可能となり、持続的により高い価値を提供することにつながる、と考えられる。

オ　○：正しい。顧客のスイッチングコストが大きい業界においては、顧客は現在使用している製品を他社製品に切り換えることに大きな抵抗を感じることになる。この場合、先発参入によって顧客を獲得すれば離反する可能性が低く、後発企業が顧客を奪うことの困難性は高くなり、後発企業の優位性は低くなる（先発企業の優位性が高くなる）。

正解 ▶ オ

Memo

問題15 競争地位別戦略

業界内における競争地位によって、採用される戦略は異なるものになる。以下の競争地位別の戦略に関する記述として、最も適切なものはどれか。

ア リーダー企業は、豊富な経営資源によって大量生産を実施し、圧倒的な低価格販売によって市場シェアを確保していくのが戦略定石である。

イ チャレンジャー企業は、リーダー企業を模倣する戦略を採ることで市場シェアを高め、リーダー企業の地位を奪い取ることを志向していく。

ウ フォロワー企業は、大きなリスクは取らずに現状を維持していく戦略を採用するため、市場に生き残るために必要な利潤を獲得するために、低価格帯を支持する顧客をメインターゲットとする。

エ ニッチャー企業は、リーダー企業にとっては採算性が低くて採用しにくい市場をターゲットとしたうえで、徐々に業界の周辺需要を拡大していく戦略を採用する。

解説

スピテキLink ▶　1編2章3節

競争地位別戦略に関する問題である。

ア　×：リーダー企業はその業界においてもっとも市場シェアを有している。そのため、業界としての低価格化が進むと、もっとも利益が減少するのはリーダー企業ということになる。そのため、原則的には非価格対応（値下げに応じない）を採ることになる。もっとも、選択肢のような戦略を採ることがないわけではないが、それが定石であるということはない。

イ　×：チャレンジャー企業はリーダー企業との差別化を図ることで市場シェアを高め、リーダー企業の地位を奪い取ることを志向していく。逆にリーダー企業はチャレンジャー企業が採った差別化戦略を模倣し、差別化を無効にする「同質化政策」を採る。

ウ　○：正しい。フォロワー企業はリーダー企業には挑戦せずに、市場に生き残るために必要な利益を確保していく戦略を採用し、そのメインターゲットは低価格帯を志向する顧客とする。

エ　×：ニッチャー企業は特定の市場にターゲットを限定し、その市場の中で地位や名声を獲得していく。この戦略を採用するのは、経営資源がさほど豊富でない企業であることが多く、ニッチャー企業が業界の周辺需要を拡大していく（需要を喚起し、業界全体としての需要量を拡大する）ケースは少ない。また、周辺需要を拡大すると、リーダーとの境界があいまいになり、競争に巻き込まれる可能性もある。よって、通常はリーダー企業が豊富な経営資源を用いて実施することになる。

正解 ▶ ウ

問題16 ドメイン

1 ／ 2 ／ 3 ／

ドメインの定義、および企業ドメインと事業ドメインの決定に関する記述として、最も不適切なものはどれか。

ア 企業ドメインとは、企業が相互作用の対象として選び出した活動領域や存続領域ととらえることができ、現在の活動領域だけでなく、経営理念や企業としてのあるべき姿なども包含する可能性を有したものである。

イ ドメインの定義方法における物理的定義とは、具体的な製品やエーベルの3次元枠組における技術によって定義するものであり、機能的定義とは、同枠組における顧客機能によって定義するものである。

ウ エーベルの3次元枠組における顧客層は、主に市場セグメンテーションにおけるサイコグラフィック基準を用いて特定し、そのニーズに応えていく。

エ 自社の事業が一定程度軌道に乗ってきた状況においては、日常的なオペレーションがルーティン化することによって事業ドメインに対する意識が希薄にならないようにすることが求められる。

オ CI（Corporate Identity）を導入するのは、企業ドメインの明確化や再設定を望むことが要因となり得る。

解説

スピテキLink▶　1編3章2節1・2項

POINT
ドメインとは、企業の生存領域であり、これを定めることは、企業としてのアイデンティティを規定し、①意思決定者たちの注意の焦点が定まる、②必要な経営資源が明確になる、③組織の一体感を醸成する、といった意義がある。また、ドメインの定義の仕方には、物理的定義と機能的定義がある。

3章

ア　○：正しい。企業ドメインとは、企業が相互作用の対象として選び出した活動領域や存続領域ととらえることができる。また、現在の活動領域だけでなく、将来の発展可能性を見据え、戦略的に定めるものである。そのため、通常は、企業が掲げている経営理念や企業としてのあるべき姿なども包含したものになる可能性が高い。

イ　○：正しい。ドメインの定義方法における物理的定義とは、具体的な製品(あるいは事業内容)やエーベルの3次元枠組における技術によって定義するものであり、機能的定義とは、同枠組における顧客機能(顧客ニーズ)によって定義するものである。

ウ　×：エーベルの3次元枠組における顧客層は、主に市場セグメンテーションにおけるジオグラフィック基準やデモグラフィック基準を用いて特定していくことになる。サイコグラフィック基準を用いて特定するのは顧客機能であり、顧客機能は(顧客)ニーズともいえるため、顧客機能として定めたニーズに応えていくことになる。

エ　○：正しい。自社の事業が一定程度軌道に乗ってくると、日常的なオペレーションはルーティン化していくことになる。そして、このような状況になると、事業としての意義や目的、いかに他社と差別化していくか、といったことに対して意識する機会が少なくなりがちである(事業ドメインに対する意識が希薄になる)。よって、このような状況にならないように意識し、競争優位を持続していくことが求められる。

オ　○：正しい。CI(Corporate Identity)とは、企業の特色や独自性を発信し、ブランド価値を高める経営手法である。具体的には、ロゴ、社名、ブランド名、経営理念、スローガンなどを導入したり、刷新したりするといったことがある。よって、企業ドメインの明確化や再設定を望むことを要因として取り組むことは想定される。

正解 ▶ ウ

問題17 ドメイン

1 ／ 2 ／ 3 ／

企業ドメインと事業ドメインに関する記述として、最も適切なものはどれか。

ア 企業ドメインは、企業全体の事業ポートフォリオの決定を含み、事業展開の基軸となるものであるため、企業内部の戦略変更により変化させることはあっても、外部環境の変化に応じて変化させることは望ましくない。

イ 企業ドメインは、企業のアイデンティティを規定することともいえ、各事業における事業領域の設定や日常的なオペレーションを含む、全社的な事業領域の設定を行う。

ウ 事業ドメインを設定する際の考え方の1つであるエーベルの3次元枠組における「機能」とは、対象顧客のニーズを満たすための提供手段を意味する。

エ 単一事業を営む企業においては、製品ラインを豊富に取り揃えていたとしても、企業ドメインと事業ドメインは同一の定義となる。

解説

スピテキLink ▶ 1編3章2節

ドメインに関する問題である。

ア ×：企業ドメインは、企業全体の事業ポートフォリオの決定を含み、事業展開の基軸となるものであることは正しい。しかし、企業ドメインは、企業内部の戦略変更や、外部環境の変化に応じた事業ポートフォリオの見直しなど、状況に応じて変化させる必要がある。

イ ×：企業ドメインが、企業のアイデンティティを規定することであることは正しい。しかし、各事業における事業領域の設定や日常的なオペレーションを規定するのは、事業ドメインである。

ウ ×：エーベルは事業ドメインを、「顧客（Customer）」「機能（Function）」「技術（Technology）」という3つの次元で設定していくことを提唱している。「機能」とは、顧客ニーズに該当し、顧客にどのような機能を提供するかについて規定することである。対象顧客のニーズを満たすための提供手段を意味するのは「技術」である。

エ ○：正しい。単一事業を営む企業においては、企業のアイデンティティの規定（企業ドメイン）はすなわち事業のアイデンティティの規定（事業ドメイン）であり、事業の範囲の決定（事業ドメイン）はすなわち企業としての事業領域の決定（企業ドメイン）を意味する。単一事業内の製品ラインの広狭は、上記の内容に影響を与えない。

正解 ▶ エ

問題18　ドメイン

1 ／ 2 ／ 3 ／

ドメインに関する記述として、最も適切なものはどれか。

ア　ドメインを物理的に定義することで、事業の性格が明確になり、現在の事業をより発展させる発想が生まれやすくなる。

イ　ドメインを設定することで、自社に必要な経営資源が明確になるが、一方で企業全体の一体感を醸成することが課題になる。

ウ　企業ドメインの設定は、特定の事業の範囲を規定することであり、事業の競争戦略決定に影響する。

エ　企業がどのような事業を展開していくかを規定し、事業ポートフォリオを決めるのは、事業ドメインである。

オ　エーベル（Abell.D.F）の3次元枠組みは、「顧客」「機能」「技術」の3つの次元で事業ドメインを規定していくものである。

解説

スピテキLink▶　1編3章2節1・2項

ドメインに関する問題である。

ア　×：ドメインの定義は、物理的定義と機能的定義に大別される。物理的定義はモノを中心に、機能的定義はコトを中心にした発想である。モノを中心とした物理的定義は事業の内容や性格がわかりやすい反面、明確に定義されているがゆえに事業をさらに発展させるような発想が生まれにくいといえる。よって、現在の事業を発展させる発想は、相対的に機能的定義のほうが生まれやすくなる。

イ　×：ドメインの設定には、①企業の意思決定者たちの注意の焦点が定まる、②どのような経営資源の蓄積が必要かについての指針になる、③企業全体を一つの組織とする一体感をつくる、などの意義がある。よって、ドメインを設定することで企業全体の一体感を醸成することが課題になるわけではない。

ウ　×：企業ドメインは企業全体としてのドメインであるので、行う事業やその組み合わせを規定する。特定事業の内容、つまり特定の事業の範囲を規定し、その事業の競争戦略決定に影響するのは、事業ドメインである。

エ　×：選択肢ウの解説でも述べたとおり、企業がどのような事業を展開していくかを規定し、事業ポートフォリオを決めるのは、企業ドメインである。

オ　○：正しい。選択肢の記述のとおりである。

正解　▶ オ

問題19　経営資源と競争優位性

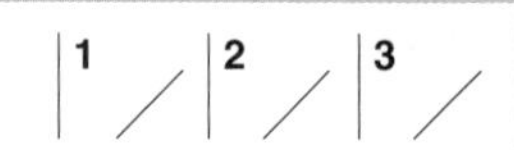

経営資源による競争優位性に関する記述として、最も適切なものはどれか。

ア　情報的経営資源は物的な経営資源と比較して、同時多重利用が可能であることや、競合企業にとって模倣困難性が高くなりやすい特徴をもち、競争優位性の源泉となりやすい。

イ　価値や希少性が認められる経営資源により競争優位を構築する企業にとって、その優位性は持続的なものということができる。

ウ　経営資源の模倣困難性とは、競合他社がその資源を有することの困難性を示しており、資源獲得に関するコストの度合いを示すものではない。

エ　コアコンピタンスは、現在展開する製品やサービスの競争力を支えるスキルや技術であるが、将来の新製品や新サービスの開発につながるものである必要はない。

解説

スピテキLink ▶ 1編3章3節

POINT 企業が競争優位性を築くアプローチにはさまざまなものがあるが、ここでのアプローチは経営資源によって築くものである

ア ○：正しい。物的な経営資源（有形資源）は、異なる利用場面における同時多重利用は基本的に不可能であるが、情報的経営資源（無形資源）は同時多重利用が可能である。また、無形資源は有形資源と比較して模倣することが容易ではないため、競争優位性の源泉となりやすい。

イ ×：価値や希少性が認められる経営資源は、競争優位の源泉となり得る。しかしながら、模倣困難性が低い場合には、その競争優位は一時的なものにとどまるため、持続的なものとは言い切れない。

ウ ×：経営資源の模倣困難性とは、競合他社がその資源を有することの困難性を示していることは正しい。このことは、言い換えれば、模倣困難性とは競合企業が同様の資源を獲得しようとすると莫大なコストが生じることを意味している。

エ ×：コアコンピタンスは、現在展開する製品やサービスの競争力を支えるスキルや技術であるが、多角化を推進する際のコアとなる経営資源にもなるため、将来の新製品や新サービスの開発につながるものである必要がないとはいえない。

正解 ▶ ア

問題20 経営資源と競争優位性（リソースベースドビュー）

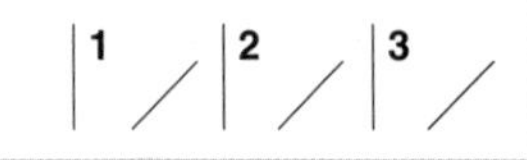

リソースベースドビューに関する記述として、最も適切なものはどれか。

ア　模倣困難性が低くても、保有する経営資源の価値が高く、希少性が高い場合には、その経営資源が持続的な競争優位の源泉になる可能性が高い。

イ　事前に予測することが困難であった環境変化が生じた場合、経営資源が持続的な競争優位の源泉になりにくくなる。

ウ　コアコンピタンスとは、企業の製品やサービスを生み出す核になる無形の経営資源であり、非関連多角化を実現する要因になる。

エ　保有する経営資源が、企業独自の歴史的な過程の結果形成されている場合、因果関係不明性を要因として模倣困難性が高くなる。

オ　企業の競争力において情報的経営資源が重要な場合、模倣困難性を高めるために知的財産権で保護する必要性は低い。

解説　スピテキLink▶　1編3章3節1・2項

POINT 経営資源と競争優位性（リソースベースドビュー）に関する問題である。リソースベースドビューとは、「企業ごとに有している経営資源は異質である」ことを前提に、経営資源をベースにして競争優位の構築を考えるものである。

ア　×：保有する経営資源の価値が高く、希少性が高く、模倣困難性が高い場合、現時点でその経営資源を保有する他社が少なく、獲得することも難しい。この場合、持続的な競争優位の源泉となる可能性が高い。しかし、価値も希少性も高いが、模倣困難性が低い状態の場合は、常に模倣されるリスクがあり、持続的な競争優位の源泉になる可能性は低くなる。

イ　○：正しい。事前に予測することが困難な環境変化が生じた場合、経営資源は持続的な競争優位を高める源泉になりにくい。通常、模倣困難性の高い経営資源は競争優位の源泉になる可能性が高い。しかし、予期せぬ環境変化が生じた場合、特定の経営資源に依存していた競争力は効力を失ってしまう場合があるからである。

ウ　×：コアコンピタンスが、企業の製品やサービスを生み出す核になる無形の経営資源であることは正しい。コアコンピタンスは、「独自性を生み出す組織能力」のような無形の経営資源のことであり、企業独自の事業活動の中で形成され、それ自体模倣困難性が高い。また、活用することでさまざまな市場にアクセス可能で、多様な製品展開を実現する。そのため、コアコンピタンスの活用で実現できる多角化は、共通の経営資源を活用するという点で事業間の関連性が高い関連多角化である。よって非関連多角化の方向性を実現する要因になるというわけではない。

エ　×：保有する経営資源が、企業独自の歴史的な過程の結果形成されている場合とは、模倣困難性の一要因である独自の歴史的条件についての内容である。このことは経路依存性とも表現され、過去の経緯や歴史が、その後の展開を決定する要因になるということであり、独自の歴史が競争力を獲得できる要因であるというものである（企業が経てきた歴史は他社には辿ることができない）。一方、因果関係不明性とは、経営資源と競争優位の因果関係が不明であることによって模倣が困難であるということであり、模倣困難性の要因である点は共通しているが、まったく別の要因である。

オ ×：企業の競争力において情報的経営資源が重要な場合、模倣困難性を高めるために知的財産権で保護するのはひとつの戦略であり、一般的には必要性は高くなる。

正解 ▶ イ

Memo

3章

問題21 経営資源と競争優位性

1／ 2／ 3／

経営資源と競争優位性に関する記述として、最も適切なものはどれか。

ア 経路依存性の高い経営資源は社会的複雑性が高いことを意味し、このことが模倣困難性を生み出すことになる。

イ 企業独自の歴史的な過程の結果として形成された経営資源は、その経営資源と競争優位との因果関係が不明であるため、模倣困難性が高くなる。

ウ 価値は高いが、稀少性が低い経営資源は、一時的な競争優位の源泉にはなり得るものの、持続的な競争優位の源泉にはなり得ない。

エ 環境不確実性が高い状況においては、経営資源が持続的な競争優位の源泉となる可能性を低くすることになる。

オ 情報的経営資源について特許を取得することは、模倣困難性を高める一因とはならないが、その価値を高め、保有しておくことの意義を高めることになる。

解説

スピテキLink▶ 1編3章3節1・2項

経営資源と競争優位性に関する問題である。

ア ×：経路依存性とは、当初起きたことによって、その後の発展経路を規定するということであるので、経路依存性の高い経営資源とは、企業がそれ以前の段階で獲得したり開発してきたりした経営資源ということである。これは、**社会的複雑性ではなく、独自の歴史的条件という要因によって模倣困難性を生み出すものである**。

イ ×：企業独自の歴史的な過程の結果として形成された経営資源とは、選択肢アの解説でも述べた独自の歴史的条件によって模倣困難性が高い経営資源である。また、経営資源と競争優位との因果関係が不明であるとは、因果関係の不明性を要因とした模倣困難性である。よって、**独自の歴史的な過程の結果であることと、経営資源と競争優位の因果関係が不明であるのは別のことである**。

ウ ×：価値は高いが、稀少性が低い経営資源ということは、その経営資源は保有すべき価値を有しているものの、同業他社などもすでに同じものを有しているということである。よって、**持続的にはもちろん、一時的な競争優位の源泉にもなり得ない**。

エ ○：正しい。環境不確実性が高い状況においては、特定の経営資源が持続的な競争優位の源泉となる可能性を低くする。それまでの環境においては競争優位を生み出せた経営資源も、環境が変化すればその価値が失われる可能性が高くなるためである。

オ ×：情報的経営資源について特許を取得することは、**法的な保護を獲得することになるため、模倣困難性を高める一因となる**。また、特許を取得すること自体がその経営資源の内容を変化させるわけではないため、直接的に価値を高めるわけではないが、他の誰も保有していないということを通して、大きな経済的な利益を獲得できるという意味では、その価値を高めることにはなり、保有しておくことの意義を高めることになる。

正解 ▶ エ

問題22 アンゾフの成長ベクトル（製品＝市場マトリックス）

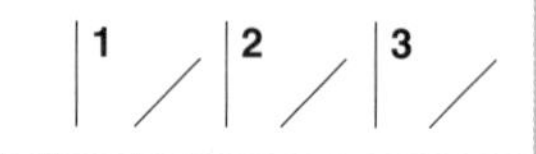

経営戦略の展開を考えていくものとして、アンゾフの成長ベクトルがある。このうちのひとつである新製品開発戦略に関する記述として、最も適切なものはどれか。

ア 新たな製品を投入することになるため、既存顧客からの支持が低下している状況であれば、経営上のリスクを回避することができる。

イ それまでにも対象としている市場のシェアを拡大することを最大の目的として採用される。

ウ 既存の製品とは異なる機能を持った製品を開発し、新たな市場での顧客獲得を目的に実施していく。

エ これまで男性向けに販売していたスーツと同じブランド名で、女性向けのスーツを販売していく。

オ 既存の製品と基本的な機能は同様だが、これまでになかった付随機能の追加やデザインの変更などによって、買い替え需要を喚起する。

解説

スピテキLink▶ 1編3章4節1項

アンゾフの成長ベクトルとは、経営戦略の展開について、「製品」と「市場」という2つの要素を軸に4つに分類するものである。

ア ×：新たな製品を投入することになるというのは正しいが、新製品開発戦略では、既存の市場（顧客）に対して新製品を投入していくため、既存顧客からの支持が低下している状況では、経営上のリスクの回避は困難になる。

イ ×：選択肢の記述は市場浸透戦略についての内容である。新製品開発戦略の実施においても、これまでと同一市場内の新たな顧客を獲得（市場シェアの拡大）することも可能になるが、主には既存製品を利用している顧客からの購入や、他社の類似製品を利用している顧客の買い替えを狙って採用されるため、市場のシェアを拡大することを最大の目的として採用されるとはいえない。

ウ ×：既存の製品とは異なる機能をもった製品を開発するというのは正しい。しかしながら、新製品開発戦略では既存の市場（顧客）に対して新製品を投入していくため、新たな顧客獲得を目的に実施していくわけではない。

エ ×：男性向けスーツと女性向けスーツを異なる製品（新製品）ととらえるかどうかは判断が難しいが、本ケースでは男性向けと女性向けであり、対象とする市場が異なる。新製品開発戦略は、既存市場に対して新製品を投入していく戦略である。

オ ○：正しい。既存の製品にこれまでにない新たな機能を追加することによってモデルチェンジすることは、新製品の投入と考えることができる。また、新製品開発戦略においては、既存市場において既存製品は購入していなかった顧客を獲得するとともに、既存製品を利用している顧客の買い替え需要を喚起していくことも狙いとしている。

正解 ▶ オ

問題23　多角化戦略

1 ／　2 ／　3 ／

企業が多角化戦略を展開する理由に関する説明として、最も不適切なものはどれか。

ア　多角化戦略の展開により、リスクの分散が図れるためである。

イ　外部環境の変化に対応して、新しい事業分野を認識し、成長するためである。

ウ　衰退した既存製品や成長が鈍化した既存市場と無関係の事業を行うことで、成功確率が高まると判断されるためである。

エ　複数事業間での経営資源の共有・補完によるシナジー効果を得るためである。

解説

スピテキLink▶　1編3章5節1項

POINT アンゾフによれば、多角化戦略とは新たな製品・市場分野に進出することであり、市場浸透戦略をはじめとする拡大化戦略と比べ、リスクが高いといわれている。そのような中で企業が多角化戦略を展開する理由としては、組織スラック（余剰資源）の活用、新しい事業分野の認識、主要事業の停滞、リスクの分散、シナジー効果などがあげられる。

ア　○：正しい。多角化戦略の展開により複数の事業を営むことによって、ある特定の事業の業績が悪化しても、他の事業によってそれをカバーすることができるという、リスクの分散が図れるためである。

イ　○：正しい。外部環境の変化に対応して、新しい事業分野を認識して成長を狙ったり、今まで主力であった事業分野が停滞しはじめた場合に新しい事業分野への進出を考慮するためである。

ウ　×：無関連多角化を採用すれば、衰退した既存製品と成長が鈍化した既存市場との関係を断ち切る事業を行うことにはなるが、リスクが大きい（成功確率は低い）戦略である。

エ　○：正しい。選択肢の内容は、既存事業と新事業の間の資源展開において何らかの共通点がある関連多角化の展開理由である。

正解　▶ ウ

問題24 多角化戦略

1 ／ 2 ／ 3 ／

企業は事業展開をしていく中で多角化を図り、複数の事業を展開していくことがある。多角化戦略に関する記述として、最も適切なものはどれか。

ア 既存事業に特有で高度なスキルを保有した従業員が多く存在するため、その有効活用のために多角化を図ることにした。

イ 環境の変化によって、それまでは存在しなかった事業機会が生まれてきたため、ドメイン変更のうえ、新たな事業への進出を図った。

ウ これまでの事業活動で培ってきた強みを活かすことができない分野へ進出する場合、事業間の関連性が低く、全体として経営上のリスクが低下するために成功確率が高くなる。

エ 既存の事業との関連性が高い分野に多角化を展開する場合には、既存の経営資源が活用できるので参入は容易であるが、事業としての成否の不確実性は高い。

解説

スピテキLink▶ 1編3章5節1項

多角化戦略に関する問題である。

ア ×：既存事業において余剰が生じている資源（組織スラック）がある場合、それを有効活用するために多角化を展開することはよく見られる。しかしながら、それが既存事業に特有なスキルなのであれば、原則的には新たな事業で活用することは困難である。

イ ○：正しい。環境変化が激しい状況においては、それまでは存在しなかった事業機会が生まれることがあり、それによって当初は想定していなかった事業に進出していくことも考えられる。また、その際にドメインの変更が必要であれば、利害関係者のコンセンサスを図ったうえで再設定することが重要になる。

ウ ×：多角化を展開する理由のひとつとして、経営上のリスク分散を図るというものがある。この目的の場合には、既存事業との関連性が薄い分野に進出することで、既存事業が低迷した際にもその補てんをすることが狙いとなる。しかしながら、これまで培ってきた強みや、経営資源との関連性が相対的に低いため、一般的には成功の確率は低くなる。

エ ×：既存の事業との関連性が高い分野に多角化を展開する場合には、既存の経営資源が活用できるので、参入が容易であると同時にリスクが低く、関連性が低い分野に多角化を展開する場合と比較して、事業としての成否の不確実性は低い。

正解 ▶ イ

問題25 多角化や競争優位を構築するための原理 1 ／ 2 ／ 3 ／

多角化や競争優位を構築するための原理に関する記述として、最も適切なものはどれか。

ア 企業が多角化を推進する場合、十分な組織スラックを有していることが推進の要件となる。

イ 複数事業間で共通する保有資源を軸とした関連多角化を推進する場合、事業間のポートフォリオ効果によるリスク分散効果の獲得を目的とする。

ウ 複数事業を行うことで相乗効果が生まれる場合、範囲の経済が同時に生じることはない。

エ 単一事業を行う企業が市場シェアを拡大し、累積生産量を拡大することによって得られる経済的効果を、規模の経済性という。

オ 2つの事業が互いの不足する面を補い合うことで、需要変動や資源制約に対応するのは相補効果といわれるが、相補効果を得るためには2つの事業間の直接的な相互作用は要件とならない。

解説

スピテキLink▶　1編3章5節1～3項

多角化や競争優位を構築するための原理に関する問題である。

ア　×：組織スラックとは、余裕資源を意味する。組織スラックを保有することは、余裕資源の有効活用の観点から多角化を推進する動機の1つとなる。しかし、十分な組織スラックを有することが多角化を推進することの要件とはいえない。新たな事業に取り組むだけの十分な組織スラックを有していなくても、魅力的な事業分野への進出を図りたい場合は、必要な経営資源を新たに獲得して進出することとなる。

イ　×：関連多角化を推進する場合、事業間の相乗効果（シナジー効果）の獲得を目的とする。ポートフォリオ効果によるリスク分散効果の獲得を目的とするのは、無関連多角化の場合である。

ウ　×：相乗効果（シナジー効果）と範囲の経済性はともに複数事業を行うことで生まれるため、同時に生じることがある。なお、相乗効果が「効果がより大きくなること」を意味するのに対し、範囲の経済は複数事業を行うことにより固定費を分散させ「より経済的な事業運営を可能とすること」（低コスト化）を意味する。

エ　×：規模の経済性を得るためには、生産規模を増大させることが要件となるが、時間をかけて累積生産量を増すことが要件となるわけではない。累積生産量を拡大することによって得られるのは経験曲線効果である。両者は、同一事業を拡大することにより経済的効果（低コスト化）を得るという点は共通するが、規模の経済性が大量生産により固定費を分散させて平均費用を低減させるのに対し、経験曲線効果は累積生産量を増加させることにより、生産の習熟度が増し、生産速度が向上したり作業精度が向上したりすることによって平均費用を低減させる、という違いがある。

オ　○：正しい。相補効果とは、複数の事業を展開した際に、相互に不足する部分を補い合うことによって、需要変動や資源制約に対応することである。たとえば、スキーリゾートに立地しているホテルが近隣にテニスコートを設置することで夏場のホテルの集客を確保し、需要変動を抑制するといったことである（スキーリゾートに立地しているホテルは冬場の需要は見込めるが、それ以外の季節の需要が見込みにくい)。そして、相補効果は相乗効果（シナジー効果）とは異なり、直接的な相互作用が要件ではない点が特徴である。

正解 ▶ オ

Memo

問題26 多角化や競争優位を構築するための原理

1 ／ 2 ／ 3 ／

多角化や競争優位を構築するための原理に関する記述として、最も適切なものはどれか。

ア 社内に組織スラックが生じている場合には、組織内に余力が少ないため、多角化戦略を推進することの困難性が高くなる。

イ 無関連多角化によって展開する事業領域を広くすることで、より大きなシナジー効果が得られる。

ウ 複数の事業において共通利用が可能な情報的経営資源は、大きな範囲の経済を生み出すことを可能にする。

エ 経験曲線効果は、経験を重ねることによる習熟や改善活動によってコストを減少させていくことであり、経験を重ねれば重ねるほど、その低減割合が上昇していくことになる。

オ 2つの事業が互いの不足する面を補い合うことで、需要変動や資源制約に対応するのは相補効果といわれ、この効果は両事業の間の直接的な相互作用が要件となる。

解説

スピテキLink▶　1編2章2節4項、3章5節1・2項

多角化や競争優位を構築するための原理に関する問題である。

ア　×：組織スラックとは余裕資源であるため、これが社内に生じているということは、組織内に余力があるということである。そして、組織スラックが生じている場合には、その余力を活かすために多角化戦略を推進することがある。よって、多角化戦略を推進することの困難性が高くなるということもない。

イ　×：シナジー効果とは相乗効果であるので、このような効果は、関連多角化のほうが生じやすい。

ウ　○：正しい。範囲の経済とは、複数の事業を行うことが、それぞれの事業を独立して行うよりも経済的な事業運営になるということである。よって、複数の事業において共通利用が可能な情報的経営資源を有していれば、追加的なコストをかけずに複数の事業を展開することができ、大きな範囲の経済を生み出すことを可能にする。

エ　×：経験曲線効果が、経験を重ねることによる習熟や改善活動によってコストを減少させていくことであることは正しい。しかしながら、その低減の度合いについては、一定の割合で減少していくという経験則であるとされている。

オ　×：相補効果とは、複数の製品や事業を展開した際に、お互いの足りない部分を補い合うことによって、需要変動や資源制約に対応できることである。たとえば、スキーリゾートに立地しているホテルが近隣にテニスコートを設置して、需要変動を抑制するといったことである。相補効果の特徴は、相乗効果（シナジー）とは異なり、直接的な相互作用が要件ではない点である。上記の例でいえば、テニスコートでなければならないわけではなく、フットサルコートでもゴルフ場でも同様の効果は得られるということである。

正解　▶ ウ

問題27 PPM・製品ライフサイクル

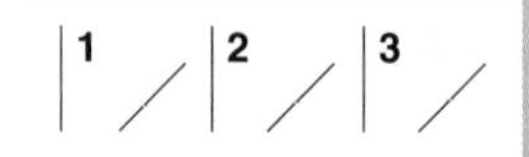

PPM（Product Portfolio Management）および製品ライフサイクルに関する下記の設問に答えよ。

設問 1 PPM

PPM上に配置される各戦略事業単位に関する記述として、最も適切なものの組み合わせを下記の解答群から選べ。

a 「花形」事業は資金の稼ぎ手であるため、投資をして市場シェアの拡大を図る。
b 「問題児」事業は資金の稼ぎ手ではないが、投資による市場シェアの拡大か、撤退を選択する。
c 「金のなる木」事業は資金の稼ぎ手であるため、積極的に投資をして市場シェアの拡大を図る。
d 「負け犬」事業は資金の稼ぎ手ではないため、撤退・売却・縮小のいずれかを選択する。

〔解答群〕

ア aとb　**イ** aとc　**ウ** bとc　**エ** bとd　**オ** cとd

設問 2　製品ライフサイクル

PPMに関連する概念に製品ライフサイクルがある。製品ライフサイクルに関する説明として、最も不適切なものはどれか。

ア　製品ライフサイクルとは、製品が市場に初めて出されてから、陳腐化し市場から撤退するまでを生物のライフサイクルに見立てたものである。

イ　製品ライフサイクルの成長期は、多くの競合企業が市場に参入してくるため競争が激しくなる。また、需要の拡大とともに市場も急成長し、大きな規模となる。

ウ　製品ライフサイクルにおける成熟期は、製品がある程度市場に浸透し、消費者に認知される時期である。

エ　成長期は、売上が急速に伸びるとともに利益も徐々に増加する。

解説

スピテキLink▶ 1編3章6節1・2項

POINT

PPM（Product Portfolio Management）は、ボストン・コンサルティング・グループ（BCG）によって開発された戦略策定支援ツールである。企業が多角化により複数の事業を展開する際の総合効果を分析し、各事業への資源配分を検討するためのマトリックスである。また、製品ライフサイクルは、製品が市場に投入されてから衰退するまでの流れの中で、段階に応じて採用すべき戦略を検討するためのものである。

設問 1

PPM上に配置される各戦略事業単位に関する問題である。

a ×：「花形」事業はまだ資金の流出が多いことから、資金の稼ぎ手にはなっていない。

b ○：正しい。

c ×：「金のなる木」事業は資金の稼ぎ手であるため、もはや投資は控え、市場シェアの維持を図るのが定石である。

d ○：正しい。

正解 ▶ エ

設問 2

ア ○：正しい。製品ライフサイクルは、通常「導入期」「成長期」「成熟期」「衰退期」の4段階に分類される。

イ ○：正しい。成長期には、競合企業により同種の製品が市場に投入され、競争が激しくなる。そのため、他社との差別化を図る戦略を採用する必要がある。また、需要の増大とともに市場規模が拡大する。

ウ ×：「消費者に認知される時期」は成長期であり、成熟期は「需要が一段落する時期」である。

エ ○：正しい。時間の経過とともに需要が急激に増加し、売上高が急上昇する。また、利益もプラスに転じて徐々に増加する。

正解 ▶ ウ

問題28 製品ライフサイクル

1 ／ 2 ／ 3 ／

製品ライフサイクルに関する下記の設問に答えよ。

設問1 製品ライフサイクル（導入期）

導入期の説明として、最も不適切なものはどれか。

ア 売上高は低い状態であり、利益はマイナスである。
イ 生産量が少ないため、製品コストの低減ができない状態である。
ウ 新製品に関心のある革新的な顧客が購入し、その数は急速に増加する。
エ 競合製品によって市場に参入する企業の数は少ない。

設問2 製品ライフサイクル（成長期）

成長期の説明として、最も不適切なものはどれか。

ア 競争に打ち勝つために多額の広告宣伝費や営業費が必要であり、成長期の後半でも利益はマイナスである。
イ 生産量の拡大と作業の熟練により製造コストが低下していく。
ウ 新製品投入後、比較的早期に購入したい層が顧客となり、その数が増大していく。
エ 需要の拡大とともに市場の規模が急成長する。

設問 3　製品ライフサイクル（成熟期）

成熟期の説明として、最も不適切なものはどれか。

ア　利益が最大となる局面を迎える。
イ　製品価格は下げ止まりの状態となる。
ウ　新製品の購入に保守的な層が顧客となる。
エ　競争に敗れた企業が市場から退出するが、新規参入企業も多く、競合企業の数は減少しない。

設問 4　製品ライフサイクル（衰退期）

衰退期の説明として、最も不適切なものはどれか。

ア　売上高の減少に伴い、利益も減少していく。
イ　コスト、製品価格ともに低い状態となる。
ウ　低価格志向の顧客が中心となり、全体として顧客数はやや増加する。
エ　市場から撤退する企業が増加する。

解説

スピテキLink▶ 1編3章6節1項

POINT 製品ライフサイクルの各段階の特徴は以下のとおりである。
導入期：新製品が開発され、初めて市場に投入される時期
成長期：製品が消費者に認知され、市場に浸透してくる時期
成熟期：製品がある程度市場に浸透し、需要が一段落する時期
衰退期：製品の魅力が薄れ、需要が減少していく時期

設問 1

ア ○：正しい。売上高は低い状態にある一方、需要拡大のために多額の広告宣伝費や営業費用などが必要となるため、利益はマイナスとなる。

イ ○：正しい。生産量が少ないため、経験曲線効果など大量生産のメリットを活かすことができない。

ウ ×：導入期の顧客は新製品に関心の高い革新的な人々であるが、その数はまだ少数である。

エ ○：正しい。同業他社はまだ新製品の開発段階である場合が多く、市場に投入される競合製品は少ない。

正解 ▶ ウ

設問 2

ア ×：競争に勝つために多額のPR費用が必要となるが、売上高の上昇に伴って利益はプラスに転じ、徐々に増大していく。

イ ○：正しい。同時に競合企業との価格競争も発生するため、製品価格もコストの低下とともに低下していく。

ウ ○：正しい。新製品を比較的早期に購入したいと考える層が顧客となり、次第に顧客数が増加していく。

エ ○：正しい。多くの競合企業が市場に参入するとともに需要が拡大し、市場規模が成長していく。

正解 ▶ ア

設問 3

ア　○：正しい。売上高が高い状態で推移するとともに投資額が少なくなるため、利益が最大水準に達する。

イ　○：正しい。競争状態が緩和し、価格の下げ止まりが見られる。また、大量生産と熟練により、コストも低いレベルで推移する。

ウ　○：正しい。新製品の購入に保守的な層が顧客の中心となり、その数は安定的に推移する。

エ　×：成熟期では、競争に敗れた企業が撤退するとともに、経験曲線や規模の経済性等が参入障壁となり、新規参入企業が増加せず、競合企業の数は減少する。

正解 ▶ エ

設問 4

ア　○：正しい。売上高の減少に伴い固定費の比率が上昇し、利益が減少する。

イ　○：正しい。コスト、製品価格ともに低い状態で推移する。

ウ　×：顧客層は低価格志向の顧客が中心となる。顧客数は全体として減少し、市場規模は次第に縮小する。

エ　○：正しい。一部のリーダー企業を除き収益を上げることが困難になることから、市場から退出する企業が増加する。

正解 ▶ ウ

問題29 PPM

1 ／ 2 ／ 3 ／

プロダクト・ポートフォリオ・マネジメント（PPM）に関する記述として、最も適切なものはどれか。

ア プロダクト・ポートフォリオ・マネジメントを用いて事業ポートフォリオを検討する場合、分析対象事業は、それぞれ単独の事業単位とする必要がある。

イ プロダクト・ポートフォリオ・マネジメントを用いた分析は、人的資源や情報的資源および財務資源などの資源配分を総合的に示唆するものであるが、事業間のシナジー効果が考慮されないというデメリットがある。

ウ プロダクト・ポートフォリオ・マネジメントにおいては、市場の成長率により資金流出が決まり、業界内の当該事業の地位によって資金流入が決まることになる。

エ プロダクト・ポートフォリオ・マネジメントにおいては、花形に位置する事業を資金源として、問題児に位置する事業に資金供給する。

オ プロダクト・ポートフォリオ・マネジメントにおける問題児に位置する事業が複数存在する場合、これらは将来の資金源となり得る事業であるため、そのすべての事業を育成することが望ましい。

解説

スピテキLink▶ 1編3章6節2項

PPMに関する問題である。

ア ×：PPMを用いて事業ポートフォリオを検討する場合、分析対象はSBU（戦略的事業単位）とする。そして、SBUは単独事業である場合もあるが、複数の関連事業をまとめてSBUとすることもある。

イ ×：PPMを用いた分析は、財務資源にのみ焦点を当てた分析であり、人的資源や情報的資源に関連する資源配分などは分析の対象としない。なお、事業間のシナジー効果が考慮されないというデメリットは正しい。

ウ ○：正しい。PPMにおいては、市場成長率が高いと資金流出が多く、低いと資金流出が少ないと捉える。また、業界内の当該事業の地位（相対的市場占有率）が高いと資金流入が多く、低いと資金流入が少ないと捉える。

エ ×：PPMにおいては、金のなる木に位置する事業を資金源として、花形に位置する事業の市場占有率を維持したり、問題児に位置する事業の市場占有率を向上させたりするために資金供給する。

オ ×：問題児に位置する事業が将来の資金源となり得る事業であることは正しい。しかし、資金は有限であり、また、事業によって競合関係の厳しさなども異なるため、そのすべての事業を育成することは現実的には難しい。したがって、問題児に位置する事業の中でもより花形、そして金のなる木に育成できる可能性が高い有望な事業を選別して育成することが重要となる。

正解 ▶ ウ

問題30　多角化とPPM

1 ／ 2 ／ 3 ／

企業は成長・発展の過程において、複数の事業を展開していくことが多い。これに関する記述として、最も適切なものはどれか。

ア　関連型の多角化は、すでに展開している事業と文字通り関連しているため、スムーズな展開が図りやすいが、事業リスクの分散が図りにくいことから、相対的に成功確率が低くなる。

イ　製品ライフサイクルの成長期は、文字通り市場規模が成長する局面であるため、売上規模が拡大すると同時に、相対的に広告宣伝などのコストを抑えることができることから、大きな利益を獲得することができる。

ウ　製品の累積生産量が増加することは、規模の経済によるコストダウンを生み出すことを意味するため、市場におけるシェアを獲得することに寄与する。

エ　金のなる木は、問題児や花形にキャッシュを投入する源泉になるが、市場の成長率は停滞していることから、さらなる追加的投資は積極的には行わない。

オ　PPMの枠組みは、展開している事業を一覧にして資源配分を行うことができるため、事業間のシナジー効果を大きくするためにも有効である。

解説

スピテキLink▶ 1編2章2節4項、3章5節1・2項、6節1・2項

多角化とPPMに関する問題である。

ア ×：関連型の多角化は、すでに展開している事業と文字どおり関連しているため、スムーズな展開が図りやすいというのは正しい。また、事業リスクの分散が図りにくいというのも正しいが、それまでに積み重ねてきたノウハウが使用できることから、相対的に成功確率は高くなる。対比する概念である無関連型の多角化は、文字どおり既存の事業との関連がない（あるいは薄い）ため、相対的に成功確率が低くなる。

イ ×：製品ライフサイクルの成長期は、市場規模が成長する局面であり、売上規模が拡大するというのは正しい。しかしながら、市場が成長している局面であるために競合他社も多く、相対的に多くの広告宣伝などのコストが必要になる。利益は徐々に拡大はしていくものの、大きな利益を獲得することができるとまではいえない。利益の最大局面を迎えるのは成熟期である。

ウ ×：製品の累積生産量が増加することによってコストダウンを生み出すことができるのは、経験曲線効果によるものである。規模の経済は、たとえば大規模な設備投資をして大量生産を行えば、極端な言い方をすれば一瞬で得ることができる。一方の経験曲線効果は、得るのに時間を要するとともに、必ずしも規模が大きくなくても得ることができる（ものづくりの職人は、素人よりも熟練工のほうが効率的に生産することができる）。市場におけるシェアを獲得することに寄与するということそのものは正しい。

エ ○：正しい。金のなる木は、製品の認知度が高まり、競合他社の数も減少するなどにより、コスト負担が少なくなることから、生き残った企業にとっては文字どおり、キャッシュを稼ぎ出す事業単位となる。よって、ここで稼いだキャッシュを問題児や花形に投入することになる。また、市場の成長率は停滞していることから、さらなる追加的投資は積極的には行わないことになる。

オ ×：PPMの枠組みは、展開している事業を一覧にして資源配分を行うことができる効果的なツールであることは正しい。しかしながら、

問題点のひとつとして、事業間のシナジー効果が軽視されているというものがある。PPMはあくまで財務的な観点で各事業単位を分析し、キャッシュの配分を考えていくものであるため、たとえば、A事業とB事業がシナジー効果を生み出しているといった観点が考慮されないことになる。

正解 ▶ エ

Memo

問題 31 M＆Aの手法

1 ／ 2 ／ 3 ／

M＆Aについて、下記の設問に答えよ。

設問 1 M＆A

A社は、B社の資産や収益力を担保にして銀行借入を行い、その資金でB社を買収しようとしている。このM＆Aの手法について、最も適切なものはどれか。

ア TOB　**イ** LBO　**ウ** MBO　**エ** MBI

設問 2 敵対的買収

敵対的買収に対する防衛策にはさまざまなものがある。このうち、買収の結果、解任された取締役に巨額の退職金を支払うように前もって定めておくことで敵対的買収を抑止しようという方策として、最も適切なものはどれか。

ア クラウンジュエル　**イ** ゴールデンパラシュート
ウ ポイズンピル　**エ** ホワイトナイト

解説

スピテキLink▶　1編3章7節1項

POINT M＆A（Mergers and Acquisitions）とは、企業の合併・買収のことである。すでに確立した事業を買うことにより、自社にない人材・販売チャネル・生産設備・ブランドネームなどの経営資源を一瞬にして手に入れることで競争力を強化できる。

設問 1

ア　×：TOB（Take Over Bid）とは、買収側の企業が、被買収側の企業の株式を、価格、株数、買い付け期間などを公開して、株式市場を通さず直接株主から買い取る方法である。

イ　○：正しい。LBO（Leveraged Buy Out）とは、買収企業が被買収企業の資産や収益力を担保にして銀行借入や社債発行を行い、その資金で買収する方法である。

ウ　×：MBO（Management Buy Out）とは、子会社等において、現在行っている事業の継続を前提として、現経営陣が株式や部門を買い取って経営権を取得することである。

エ　×：MBI（Management Buy In）とは、MBOの一類型であり、買収対象会社の外部マネジメントチームが買収を行う。「外部マネジメントチーム」とは、同一業界の経験を有するものや、会社再建の経験を有するものなどである。

正解　▶ イ

設問 2

ア　×：クラウンジュエルとは、被買収企業の保有する魅力的な事業部門、資産もしくは子会社などを指す。または、被買収企業が自社の重要財産を第三者に譲渡したり、分社化することによって、意図的に自社を買収対象として魅力がないものにすることで、買収者の買収意欲を大きくそぐといった買収防止策を指す場合もある。

イ　○：正しい。

ウ　×：ポイズンピルとは、敵対的買収者が一定割合の株式を買い占めた場合、買収者以外の株主に自動的に新株が発行され、買収者の株式取得割合が低下する仕組みである。

エ　×：ホワイトナイトとは、敵対的な買収を仕掛けられた企業の経営陣が、友好的な企業や投資家に買収を求める方法である。

正解 ▶ イ

Memo

問題32　外部組織との連携

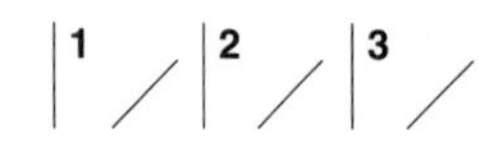

組織間連携に関する記述として、最も適切なものはどれか。

ア　自社の部品を製造するために用いる原材料を製造しているメーカーが多数存在している場合には、川上方向の垂直的統合を行うことの必要性が高くなる。

イ　敵対的な買収行動に対する防止策であるポイズンピルは、買収対象者になった企業があえて多額の負債を背負うなどにより、買収の魅力を低下させるものである。

ウ　戦略的提携は、複数の企業が共同で出資して新たに企業を設立することであるため、お互いにとって不足している経営資源を補完し合うことが可能になる。

エ　敵対的な買収を防止するために、あえて多額の負債を抱えることで買収対象としての価値を下げるといった方法は焦土作戦といわれ、買収側の買収意欲をそぐことになる。

オ　産業クラスターは、その土地に従来からある天然資源などの生産要素により、企業や大学といったさまざまな主体が集積し、競争関係にありつつも協力している産業集積のひとつである。

解説

スピテキLink▶　1編3章7節1項

POINT 外部組織との連携に関する問題である。企業が置かれている環境不確実性の高まりにより、自社単独で競争優位を確立することの困難性が高まっている。そのため、外部の組織との連携を図る動きは活発化している。

3章

ア　×：自社の部品を製造するために用いる原材料を製造しているメーカーは、自社にとって仕入先ということになるが、このメーカーが多数存在しているのであれば、仕入先に困る可能性は低い。よって、川上方向の垂直的統合を行うことの必要性が高いわけではない。仕入先が少ないのであれば、仕入先の交渉力の高まりや、取引コストの存在などにより、調達の不確実性が高まるため、垂直的統合を行うことの必要性が高くなる。

イ　×：選択肢の記述は、焦土作戦についてのものである。ポイズンピルとは、買収側が買収対象者となった企業の一定割合の株式を買い占めた場合に、買収側以外の既存の株主に自動的に新株が発行されることで買収側の取得割合を低下させ、支配下に置かれることを防止するものである。

ウ　×：選択肢の記述は、合弁（ジョイント・ベンチャー）についてのものである。戦略的提携とは、複数の企業が契約に基づいて実現する協力関係のことであり、経営の独立性を維持した連携関係である。お互いにとって不足している経営資源を補完し合うことが可能になるというのは正しい。

エ　○：正しい。焦土作戦によって、買収側は買収することでその負債を抱えることになるため、買収意欲がそがれることになる。

オ　×：産業クラスターとは、特定分野において関連する企業や研究機関などが地理的に集中する産業集積であるが、その集積要因は、その土地に従来からある天然資源などの生産要素というわけではない。先進的な技術や科学技術インフラといったものが集まり、そのことがその場所の集積としての価値を高め、さらに関連する組織体の集積をもたらしていくことになる。競争関係にありつつも協力している産業集積のひとつであることは正しい。

正解　▶ エ

問題33 外部組織との連携

1 ／ 2 ／ 3 ／

外部組織との連携に関する記述として、最も不適切なものはどれか。

ア ジョイントベンチャーとは、複数の企業が互いに出資して企業を設立することであり、設立した企業に経営資源を集中させることで迅速な事業展開が可能になる。

イ アライアンスにより永続的な関係性を構築することができ、相手の技術やノウハウをより多く取り入れることで、スピーディーな事業展開が可能になる。

ウ LBOとは、買収側の企業が被買収側の企業の資産や収益力を担保にして、資金調達を行い、この資金で相手を買収するものである。

エ 垂直統合を行うことで、市場取引を組織内取引へ変化させることになり、中間在庫や輸送コストの削減が可能になる。

オ 産学連携により、民間企業は自社資源をコア分野に集中投入することができ、大学は研究成果の実用化と資金獲得が可能になる。

解説

スピテキLink▶ 1編3章7節1・2項

外部組織との連携に関する問題である。

ア ○：正しい。ジョイントベンチャーとは、複数の企業による共同出資で新たな企業を設立して事業を行う経営形態のことである。既存事業とは異なる事業を行ううえで、1社では経営資源が足りない場合に採用されることが多く、経営資源の集中でより迅速かつ効果的な事業展開が可能になるメリットがある。

イ ×：アライアンスとは、複数の企業が契約に基づいて実現する協力関係のことである。契約内容にもよるが、通常は永続的な関係を構築するものではない。緩やかな結びつきであり、相手の技術やノウハウを吸収し合うなど、協調と競争が併存した関係でもある。そして、やがては提携を解消してライバル関係に戻ることもある。経営資源を補完し合うことにより、スピーディーな事業展開が可能になるのは正しい。

ウ ○：正しい。LBOは、被買収企業の資産や収益力などの企業価値を担保にすることで資金調達するものである。一般的に買収には多額の借入金が発生するが、被買収企業が安定的なキャッシュフローを生み出すことが見込まれれば、そのことが資金の返済における担保となる。

エ ○：正しい。垂直統合とは原材料の生産から製品の販売に至る業務を垂直的な流れと見て、2つ以上の生産段階や流通段階を1つの企業にまとめることをいう。原材料の生産から販売に至る流れのうち、原材料の生産に近いほうを川上、製品販売に近いほうを川下という。それまで外部調達していた業務を内製化することで、市場取引によって生じていたコストを削減することができる。

オ ○：正しい。産学連携とは民間企業と大学などの研究機関が連携することを指す。企業は大学の基礎技術などを活用することで、自社資源をコア分野に集中することができる。また、大学は技術を企業に提供することで研究成果の実用化や新たな資金調達が可能になる。

正解 ▶ イ

問題34　外部組織との連携

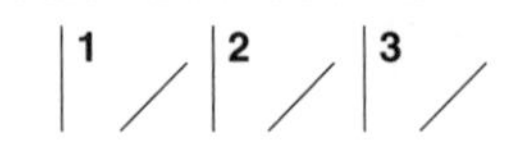

外部組織との連携に関する記述として、最も適切なものはどれか。

ア　ある原材料メーカーが供給先である製品メーカーとの統合を図る場合、これは垂直的統合の後方統合にあたる。

イ　デューデリジェンスは買収後に行われることが一般的であり、その結果は買収後の経営戦略の策定に大きな影響を与える。

ウ　合併が行われると、必ず１つもしくは複数の企業が消滅する。

エ　戦略的提携は、企業間の持続的かつ緩やかな結びつきを構築し、提携企業間の協調と競争が併存した状況になることが多い。

オ　MBOは、買収側の企業が被買収側の企業の資産や収益力を担保にして資金調達を行って買収を行う手法であり、現経営陣が経営権を取得する。

解説

スピテキLink▶　1編3章7節1項

外部組織との連携に関する問題である。

ア　×：本肢の内容は、前方統合の説明である。垂直的統合とは、原材料の生産から製品の販売に至る業務を垂直的な流れと見て、2つ以上の生産段階や流通段階を1つの企業内にまとめることをいう。そして、原材料の生産に近いほうを川上、製品販売に近いほうを川下といい、川下方向への統合を前方統合、川上方向への統合を後方統合という。本肢の原材料メーカーが供給先である製品メーカーとの統合を図る場合は、川下方向への統合であるため、前方統合にあたる。

イ　×：デューデリジェンスは買収前に行われることが一般的である。デューデリジェンスとは、買収側が買収対象企業について、資産価値や将来の収益見込みなどについて検証し、買収の妥当性を評価することである。その結果は買収の実施の是非に大きな影響を与える。

ウ　○：正しい。合併には、既存会社間で行われる吸収合併と、新設会社を設立し既存会社が新設会社に吸収される新設合併がある。いずれの形態を採用しても、必ず1つもしくは複数の企業が消滅することとなる。

エ　×：戦略的提携は、企業間の緩やかな結びつきを構築することは正しいが、持続的な結びつきを構築するわけではない。戦略的提携では、経営の独立性を維持しつつ、相互に経営資源の補完を行う。経営環境や技術動向の変化に伴って、企業の経営戦略や必要とする経営資源も変化していくため、一定期間経過後に提携を解消したり、異なる事業者と提携を結んだりといったことが起きる。なお、戦略的提携において提携企業間の協調と競争が併存した状況になることが多いという記述は正しい。

オ　×：買収側の企業が被買収側の企業の資産や収益力を担保にして資金調達を行って買収を行う手法はLBO（Leveraged Buy Out）である。MBO（Management Buy Out）は、現経営陣が株式や部門を買い取って経営権を取得することをいうため、文末の記述はMBOの内容として正しい。

正解　▶ ウ

問題35 イノベーション

1 ／ 2 ／ 3 ／

イノベーションに関する次の文章を読み、空欄A、B、Cに入る最も適切な語句の組み合わせを下記の解答群から選べ。

イノベーションとは、創造的なアイデアを実行に移すことで企業に新たな利益をもたらすすべての変革のことである。イノベーションには、大きく［A］と［B］があるが、前者は既存製品の細かな部分改良を積み重ねる技術革新であり、後者は従来とはまったく異なる価値基準をもたらすイノベーションである。［A］と［B］との関係は非連続的であり、［B］を推進していくことは非常に困難を伴う。特にこれまでのリーダー企業が［A］に邁進するあまり、［B］に対応できなくなり、市場から淘汰されてしまう現象を、［C］という。

〔解答群〕

ア　A：持続的イノベーション　　B：破壊的イノベーション
　　C：イノベーションジレンマ

イ　A：持続的イノベーション　　B：破壊的イノベーション
　　C：分析麻痺症候群

ウ　A：持続的イノベーション　　B：破壊的イノベーション
　　C：生産性のジレンマ

エ　A：破壊的イノベーション　　B：持続的イノベーション
　　C：スマイルカーブ

オ　A：破壊的イノベーション　　B：持続的イノベーション
　　C：技術進歩のS字カーブ

解説

スピテキLink▶　1編4章2節1・2項

POINT

端的にいえば、イノベーションとは人々に新しい価値をもたらす行為である。シュンペーターは、イノベーションを「新結合」の遂行であるとし、その対象として、①新しい生産物または生産物の新しい品質の創造と実現、②新しい生産方法の導入、③産業の新しい組織の創出、④新しい販売市場の開拓、⑤新しい買い付け先の開拓、の5つをあげている。

イノベーションにはいくつかの類型があるが、大きくA：持続的イノベーション（既存製品の細かな部分改良を積み重ねる技術革新）とB：破壊的イノベーション（従来とはまったく異なる価値基準をもたらすイノベーション）がある。A：持続的イノベーションとB：破壊的イノベーションとの関係は非連続的であり、B：破壊的イノベーションを推進していくことは非常に困難を伴う。特にこれまでのリーダー企業がA：持続的イノベーションに邁進するあまり、B：破壊的イノベーションに対応できなくなり、市場から淘汰されてしまう現象を、C：イノベーションジレンマという。これは持続的イノベーションと破壊的イノベーションとの非連続な関係に加え、破壊的イノベーションの推進はリスクが高いこと、既存の主要顧客は画期的な新製品よりも、すでに使っている製品の改良（つまり持続的なイノベーション）を望んでおり、持続的イノベーションを推進したほうが高い収益性が見込めることに起因する現象である。

なお、スマイルカーブとは、業界の価値連鎖において、アセンブラーよりもモジュールメーカーや販売後のサービス業者のほうが、収益性が高いことを示すものである。

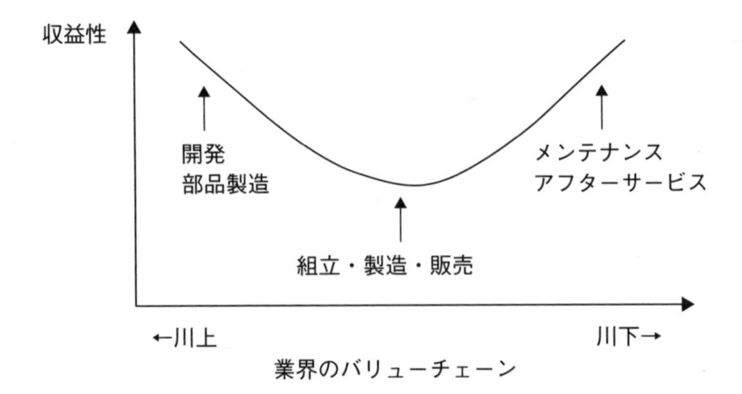

技術進歩のS字カーブとは、技術進歩のパターンを描いたものである。当初緩やかなペースでしか進まない技術進歩は、やがて加速し、しばらくすると再び鈍化することが多い。

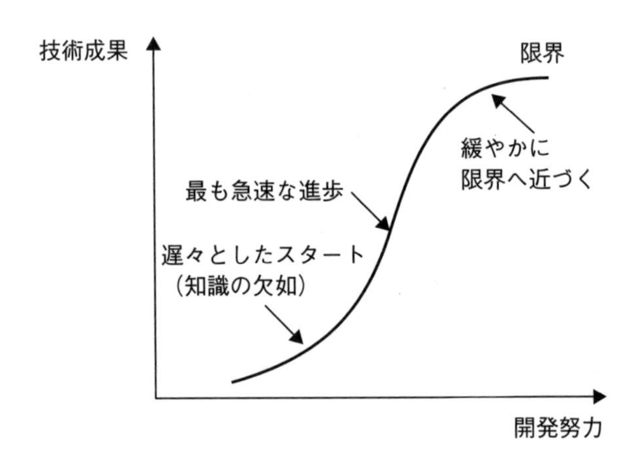

正解 ▶ ア

Memo

問題36 イノベーション

1 ／ 2 ／ 3 ／

イノベーションに関する記述として、最も適切なものはどれか。

ア 特定の製品アーキテクチャに従って製品開発を何度も実施していると、組織構造や製品開発プロセスがその製品アーキテクチャに合致し、分業化が促進されることから、要素技術だけが革新されるアーキテクチャ革新が起こりやすくなる。

イ 前世代の技術で蓄積した知識やノウハウが役に立たなくなるようなイノベーションは、顧客の要望に対応する能力を継続的に磨くことで自社製品の成功に結びつけている企業において発生しやすくなる。

ウ 新たな可能性を探索するイノベーション活動は、短期的な業績を獲得できることに加え、企業が技術や製品の広がりを持つ可能性を広げ、長期的にはリスクの低減に貢献する。

エ 製品ライフサイクルの終盤でイノベーションが停滞した後、再び製品ライフサイクルが最初に戻る現象が見られる場合があるが、理由は製品に関する顧客ニーズや中核技術の根本が変わることにある。

オ モジュール化が進展すると、当初はコモディティ化が進展するが、製品機能が顧客のニーズの水準を超えると、技術面や完成品そのものの革新が進むなど、産業全体のイノベーションが活性化する。

解説

スピテキLink▶　1編4章2・3節

イノベーションに関する問題である。

ア　×：特定の製品アーキテクチャに従って製品開発を何度も実施していると、その製品アーキテクチャを前提とした形で組織構造や製品開発プロセスが形成され、固定化されることになる。そして、固定化されれば分業化も促進されやすくなる。このことは各種プロセスの効率化をもたらすが、そのことによって製品アーキテクチャを変えるのが困難になる（アーキテクチャ革新が起こりにくくなる）。そのため、革新の焦点が各要素技術、ないしは各モジュールに当たることになる。このような革新をモジュール革新という（要素技術だけが革新されるのはアーキテクチャ革新ではなく、モジュール革新である）。

<イノベーション（革新）の分類>

サブシステム（要素技術）	製品アーキテクチャ：改善的	製品アーキテクチャ：革新的
革新的	モジュール革新	全面革新
改善的	改善	アーキテクチャ革新

出所：Henderson and Clark (1990) を筆者修正
（『MOT技術経営入門』延岡健太郎　日本経済出版社　p.157）

イ　×：前世代の技術で蓄積した知識やノウハウが役に立たなくなるようなイノベーションとは能力破壊的なイノベーションのことであり、自社の技術や能力の多くを自ら陳腐化させてしまうような、全く新しい技術が必要な革新的イノベーションともいえる。この場合の革新的とは、これまで市場に存在していなかった、もしくは自社で製造していなかった製品を開発する程度のことを指す。顧客の要望に対応する能力を継続的に磨くことで自社製品の成功に結びつけている企業は、既存の技術の延長線上において対応する能力発展型イノベーション、改善的イノベーションが発生しやすくなる。よって、能力破壊的なイノベーションが発生しやすくなるわけではない。

ウ ×：新たな可能性を探索するイノベーション活動は、企業が技術や製品の広がりを持つ可能性を広げ、事業継続における長期的なリスクの低減に貢献することは正しい。「探索」により革新的な技術や製品を開発できる可能性が高まるからである。しかしながら、このようなイノベーション活動の場合、試行錯誤を繰り返し新しい可能性を探ることから、すぐには製品化できない場合も少なくない。よって、短期的な業績を獲得できるというわけではない。

エ ○：正しい。製品ライフサイクルの終盤でイノベーションが停滞した後、再び製品ライフサイクルが最初に戻る現象が見られる場合がある。これは、製品ライフサイクルが成熟期を迎え（あるいは衰退期に入り）、製品に関する顧客ニーズが根本的に変わったり、中核技術の根本が変わったり（技術革新が起こる）することで、同じ製品カテゴリーの中で新たな技術を用いた製品が登場するといったことである。このような場合に、再び製品ライフサイクルの初期段階になるということである（脱成熟化）。

オ ×：モジュール化が進展すると、その過程において、当初は技術面や完成品そのものの革新が進むなど、産業全体のイノベーションが活性化する。そして、革新の結果、製品機能が顧客のニーズの水準を超えると（顧客価値の頭打ち）、コモディティ化が進展することになる。

正解 ▶ エ

Memo

問題37 モジュール型アーキテクチャ

1 ／ 2 ／ 3 ／

モジュール型アーキテクチャに関する記述として、最も適切なものはどれか。

ア 製品アーキテクチャがモジュール型の場合には、インターフェースを長期間固定する必要性が生じることから、モジュールのイノベーションは進展しにくくなる。

イ 製品アーキテクチャがモジュール型の場合には、原則、各コンポーネントに機能が一対一ないしはそれに準ずる形で配分され、1つのコンポーネントに生じた変更が他のコンポーネントに波及しにくい。

ウ 幅広いモジュールを扱うことで完成品の多様性を実現するためには、インターフェースの汎用性が必要であり、このことによって個々の製品システムとして最適な設計を実現しやすくなる。

エ 製品アーキテクチャがモジュール型の場合、モジュールメーカーは参入障壁が低くなることから収益性が低下するが、完成品メーカーは差別化が図りやすく、収益性が高くなる。

オ 製品アーキテクチャがモジュール型の場合には、モジュールメーカーは、取引先となる完成品メーカーを拡大することが可能なため、新たなモジュール開発の必要性は低下することになる。

解説

スピテキLink▶ 1編4章3節1項

モジュール型アーキテクチャに関する問題である。モジュール化のメリット、デメリットとしては次のようなものがある。

メリット

- 構成要素間の調整等にかかるコストを削減できる。
- モジュールの独立性が確保されると、全体に対する変化部分（モジュール）に集中することができる（その結果、モジュールレベルでのイノベーションが促進される）。
- システムの多様性を容易に確保できる。つまりさまざまな組み合わせが可能である。

デメリット

- 各モジュールの独立的な開発を促すためには、インターフェースを長期間固定しなくてはならないため、インターフェースの進化が抑制される（または、製品パフォーマンスの向上がインターフェースによって規定される）。
- 幅広いモジュールを扱うためには、インターフェースにあらかじめ汎用性を持たせなくてはならず、結果として、全体システムに無駄が生じることになる（全体システムが無駄を許容できることがモジュール化の前提）。

4章

ア ×：製品アーキテクチャがモジュール型の場合に、インターフェースを長期間固定する必要性が生じることは正しい。しかしながら、モジュール間の調整が必要なくなることから、各モジュールメーカーは独自に開発を進めることができる。よって、各モジュールのイノベーションが促進されやすくなる。

イ ○：正しい。製品アーキテクチャがモジュール型の場合には、原則、各コンポーネントに機能が一対一ないしはそれに準ずる形で配分されている。つまり、1つのコンポーネントが1つの機能を有しているということである。よって、複数のコンポーネントを組み合わせることで1つの機能を生み出すのと比較して、1つのコンポーネントに生じた変更は他のコンポーネントに波及しにくくなる。

ウ ×：幅広いモジュールを組み合わせることが可能になれば、完成品の多様性を実現することができる。しかしながら、このことは、その都度すり合わせが生じる状況では実現しにくいため、インターフェースの汎用性（さまざまなモジュールに適用できる）が必要になる。ただし、さまざまなモジュールに適用できるということは、製品ごとに無駄のない最適な設計は行わないことになる（個々の製品システムとして最適な設計は実現しにくくなる）。

エ ×：製品アーキテクチャがモジュール型の場合、インターフェースの標準化が進展し、モジュールメーカーの参入障壁が低くなることは正しい。しかしながら、選択肢アの解説でも述べたように、独自に技術開発を進めやすく、また、特定のモジュールを多様な完成品メーカーに採用してもらいやすいことなどから、相対的にモジュールメーカーの収益性は高くなる可能性が高い。一方、完成品メーカーは、市場化されているモジュールの組み合わせによって製品を作り上げる結果、独自の技術的要素を組み込むことができず、差別化が困難になることが多い。その結果、相対的に完成品メーカーの収益性は低くなる可能性が高い。

オ ×：製品アーキテクチャがモジュール型の場合には、選択肢エの解説でも述べたように、インターフェースの標準化が進展することにより、モジュールメーカーは取引先となる完成品メーカーを拡大しやすくなる面があることは正しい。しかしながら、だからといって、新たなモジュール開発の必要性が低下するわけではない。各モジュールメーカーは独自に開発を進めているため、それを怠っては競争力が失われる可能性もある。魅力的なモジュールを継続的に開発していくのが望ましい。

正解 ▶ イ

Memo

問題38　モジュール型アーキテクチャ

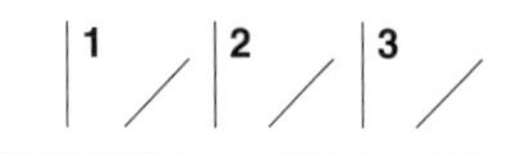

製品における設計思想ともいえる製品アーキテクチャは、昨今、あらゆる製品カテゴリーにおいてモジュール化が進展している。モジュール型アーキテクチャに関する記述として、最も適切なものはどれか。

ア　さまざまなモジュールに適合可能なインターフェースとなるため、完成品のデザイン設計は無駄が少なく、最適なものになりやすくなる。

イ　オープンアーキテクチャ戦略を採ることは、補完製品の付加価値が向上する一方で、本体製品の付加価値が低下するが、本体製品の販売量拡大による収益確保が見込まれる。

ウ　完成品の多様性を実現することが可能であるが、モジュール間の擦り合わせコストが生じることで、完成品のコモディティ化が進展することになる。

エ　システム統合技術の市場化による完成品メーカーの参入障壁低下や、顧客価値の頭打ちなどにより、完成品市場において価格競争を引き起こし、高い技術力が収益獲得に結びつかない状況が生じる。

解説

スピテキLink▶　1編4章3節1・2項

モジュール型アーキテクチャに関する問題である。

ア　×：さまざまなモジュールに適合可能なインターフェースとなることは正しい。しかしながら、その分、汎用性のあるデザインにする必要があるため、完成品のデザイン設計には無駄が生じやすく、最適なものにはなりにくくなる。

イ　×：オープンアーキテクチャ戦略を採ることで、本体製品と互換性のある補完製品が生み出されやすくなる。このことは、補完製品はもちろん、本体製品の付加価値も向上することになる。さまざまな補完製品が生み出されれば、その本体製品によって実現できることが多くなるからである。

ウ　×：完成品の多様性を実現することが可能であることは正しい。しかしながら、モジュール間の擦り合わせコストは削減されることになる。完成品のコモディティ化が進展することになるのは正しい。

エ　○：正しい。システム統合技術とは、モジュールの組み合わせ方であり、これが市場化することによって完成品メーカーとしての参入が容易になる（参入障壁低下）。また、顧客価値の頭打ちとは、顧客が求める製品の機能が、既存の製品で満たされており、顧客がそれ以上の機能を望んでいない状態である。このような状況になると、技術面に優位性を有している企業であっても、その技術によって新たな機能を有した製品を開発しても、顧客に価値を見出してもらえないため、さほど高い技術を有していない企業との差異を打ち出せず、完成品市場において価格競争が引き起こされることになる。このようにして、高い技術力が収益獲得に結びつかない状況が生じる。

正解　▶ エ

問題39　技術経営

1 ／ 2 ／ 3 ／

技術経営に関する記述として、最も適切なものはどれか。

ア　完成品メーカーが部品メーカーとの取引関係において、委託図方式を採用する場合、部品メーカーが詳細な設計を行うことになるため、図面の所有権は部品メーカーに帰属するが、部品の品質保証責任は完成品メーカーに帰属することになる。

イ　業界のリーダー企業の主力商品に対する顧客の支持が低下してきている場合には、それを代替する製品を生み出すための新技術が登場した際にイノベーションジレンマが生じやすくなる。

ウ　製品アーキテクチャがモジュール型の場合には、モジュールメーカーは独自に開発を進めることができ、インターフェースのイノベーションが促進されることになる。

エ　デファクトスタンダード競争が重要になる製品カテゴリーにおいては、その製品がクリティカルマスに達すると、多くの規格の登場が促され、規格間競争が激化し始めることになる。

オ　ベンチャー企業がイノベーションを実現したとしても、それによって生み出した事業が市場競争に勝ち残れるか否かの関門をダーウィンの海という。

解説　スピテキLink▶　1編4章1節2項、2節2項、3節1項、4節2項、5節2項

POINT　技術経営に関する問題である。

ア　×：完成品メーカーが部品メーカーとの取引関係において、委託図方式を採用する場合、部品メーカーが詳細な設計を行うことになることや、部品の品質保証責任が完成品メーカーに帰属することは正しい。しかしながら、図面の所有権は完成品メーカーに帰属することになる。

イ　×：業界のリーダー企業の主力商品に対する顧客の支持が低下してきているのであれば、仮にそれを代替するような製品を生み出すための新技術が登場した場合に、相対的にリーダー企業がその主力商品に固執する可能性が低くなる。よって、現在の主力商品を否定するような新技術を活用することに対するジレンマ（イノベーションジレンマ）は生じにくい。逆に、多くの顧客にその商品が支持されている場合には、このような新技術を使用した破壊的なイノベーションを起こしにくく、イノベーションジレンマが生じる可能性が高くなる。

ウ　×：製品アーキテクチャがモジュール型の場合には、モジュールメーカーが他のメーカーと擦り合わせをすることなく、独自にモジュールの開発を進めることができるように、インターフェースを長期間固定することになる。よって、インターフェースのイノベーションは抑制されることになる。

エ　×：クリティカルマスとは、市場に商品やサービスが爆発的に普及していくための最小限の普及率のことである（たとえば、2割の人々に普及すると、それ以外の人々も次々に使い始めるといった普及率）。そして、デファクトスタンダード競争とは、業界標準となる規格として採用されるための競争であるが、この競争は、通常は市場への普及率がクリティカルマスに達する前に繰り広げられることになる。クリティカルマスに達した段階では、デファクトスタンダードが確定していることも多い（だからこそ、クリティカルマスに達するほどに普及している）。いずれにしても、クリティカルマスに達してから多くの規格の登場が促され、規格間競争が激化し始めるわけではない。

オ ○：正しい。ベンチャー企業がイノベーションを実現し、それを事業として存続させていくまでにはいくつかの関門があるが、事業が市場競争に勝ち残れるか否かの関門はダーウィンの海という。

正解 ▶ オ

Memo

問題40　技術経営

1／ 2／ 3／

技術経営に関する記述として、最も適切なものはどれか。

ア　外部組織からのアイデアを利用して進めるオープン・イノベーションにおいては、情報の流出を抑制することに重点を置き、一貫して社内にあるアイデアを外部に流出させないことに留意する必要がある。

イ　リバース・イノベーションとは、競合企業の製品を分解、解析して、自社の製品開発プロセスに革命を引き起こすことをいう。

ウ　バウンダリー・スパンニングの主な役割は、組織内の部署間の情報交換や役割調整などを行うことである。

エ　「同じ規格に参加するメンバーが多いほど参加メンバーの効用が高まること」をネットワーク外部性というが、「ある水準まで普及率を高めると競合規格との争いが激しくなるためにそれ以上は普及率が向上しないという水準」をクリティカルマスという。

オ　ベンチャー企業が新技術を開発し、製品開発まで至ったプロジェクトが、マーケティング人材や資金などの調達が叶わず頓挫してしまったケースは、死の谷の関門に直面したといえる。

解説　スピテキLink▶　1編4章2節3項、4節2項、5節2項

技術経営に関する問題である。

ア　×：外部組織からのアイデアを利用して進めるオープン・イノベーションにおいては、自社と連携相手の情報やノウハウを融合させて新たな知見を生み出すことが求められる。情報管理は重要であるものの、本肢のように、一貫して社内にあるアイデアを外部に流出させないというクローズな姿勢で臨むものではない。

イ　×：リバース・イノベーションとは、新興国で生まれた技術革新や新興国市場向けに開発した製品などを、先進国にも導入して世界に普及させることをいう。本肢の内容は、リバース・エンジニアリングの説明である。

ウ　×：バウンダリー・スパンニングとは、組織と外部環境の要素とを結びつけ、調整することであり、外部環境との橋渡し役のことである。たとえば、当該企業の技術部門が外部の主体から最新技術の情報を得るようなことである。本肢の、組織内の部署間の情報交換や役割調整などが主な役割ではない。

エ　×：同じ規格に参加するメンバーが多いほど参加メンバーの効用が高まることを、ネットワーク外部性ということは正しい。しかし、クリティカルマスとは、市場に商品やサービスが爆発的に普及していくための最小限の普及率のことである。つまり、当該規格がその普及率まで達すると、ユーザーが急激に増加する水準ということである。

オ　〇：正しい。ベンチャー企業がイノベーションを実現し、それを事業として存続させていくまでには、魔の川（デビルリバー）、死の谷（デスバレー）、ダーウィンの海の関門があるが、製品開発まで至ったプロジェクトが資金や人材の調達の不調によって先に進めなくなる関門は、死の谷という。

正解　▶ オ

問題41 ネットワーク外部性

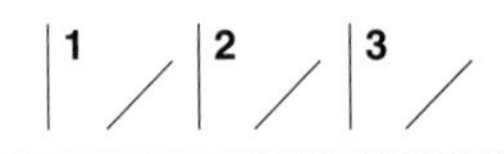

ソフトウェアやソフトウェアが絡む製品の規格競争においては、ネットワーク外部性に留意する必要がある。ネットワーク外部性に関する説明として、最も適切なものはどれか。

ア 同じネットワーク（あるいは規格）に参加するメンバーが多いほど、そのネットワークに参加するメンバーの効用が高まることをいう。

イ 原材料や資本などの生産要素の投入量が増えるにしたがい、その増加分以上に産出量が増えていくことをいう。

ウ 当初緩やかなペースでしか進まない技術進歩が、やがて加速し、しばらくすると再びペースが鈍化することをいう。

エ 生産量とコストの関係を示す経験則であり、特に労働集約性が高い産業で見られる。

解説

スピテキLink▶ 1編4章4節2項

POINT ネットワーク外部性とは、同じネットワーク（あるいは規格）に参加するメンバーが多いほど、そのネットワークに参加するメンバーの効用が高まることをいう。ネットワーク外部性が働く財（たとえばソフトウェア）の規格の場合、当該規格の利用者（加入者）の数が多いほど、当該規格のユーザーの便益は増す。その結果、シェア上有利に立った(クリティカルマスにいち早く到達した）規格は雪だるま式に利用者（加入者）が増加するという図式になる。

4章

ア ○：正しい。

イ ×：選択肢の記述は収穫逓増（あるいは規模の経済性）に関する内容である。規模の経済性とは、企業の規模が増大するにしたがい、製品1単位あたりの平均費用が低減していく現象をいう。同じことをコスト面からではなく生産面から表現すると、原材料や資本、労働者などの生産要素の投入量が増えるにしたがい、その増加分以上に産出量が増えていくということになる（収穫逓増)。

ウ ×：選択肢の記述は、技術進歩のS字カーブに関する内容である。技術進歩のパターンを経時的に追っていくと、次のようなS字型のカーブを描くことがある。

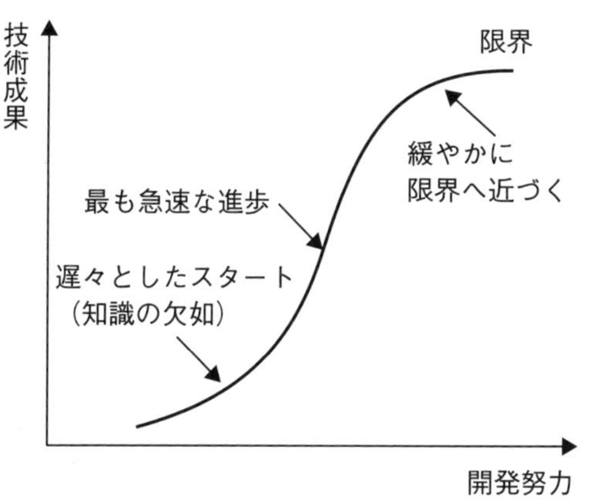

エ ×：選択肢の記述は、経験曲線効果に関する内容である。

正解 ▶ ア

問題42　CSRとコーポレートガバナンス

1 ／　2 ／　3 ／

CSRとコーポレートガバナンスに関する記述として、最も適切なものはどれか。

ア　マイケル・ポーターの提唱するCSV（Creating Shared Value）は、企業が社会的課題の解決に貢献することの重要性を示すものであり、社会価値の向上は経済価値の向上よりも重要である、としている。

イ　SDGsは、持続可能な開発目標のことであり、17のゴール・169のターゲットから構成され、その目標期間は2030年までと設定されている。

ウ　ファミリービジネスを分析する基本的なモデルであるスリー・サークル・モデルは、ファミリー、リーダーシップ、ビジネスの３つのサブシステムで構成される。

エ　ファミリービジネスの事例研究に基づき、好業績を長く維持するファミリービジネスの特徴を分析した４Cモデルでは、好業績を挙げる企業は、継続性、コミュニティ、コネクション、コマンドの４つのCのうち、１つのCに特化する傾向にあるとしている。

オ　コーポレートガバナンスの変遷について、企業規模の拡大とともに、オーナー経営者から専門経営者に経営が委ねられることを、所有と支配の分離という。

解説

スピテキLink▶　1編5章1節1項、2節5〜6項

POINT CSRとコーポレートガバナンスに関する問題である。CSR（企業の社会的責任）とは、企業が社会の利害関係者との調和を図りながら、正常な経済活動のみならず社会的に影響を及ぼす企業活動全体に対して責任を果たすことである。

コーポレートガバナンスとは、企業に対する利害関係者の視点から、企業経営の社会性や政治性を確保しようとするもので、企業統治などともよばれる。

ア　×：マイケル・ポーターの提唱するCSVは、企業が行う事業を通して、社会的課題を解決し、社会価値と経済価値を同時に創造するというものである（社会価値の向上は経済価値の向上よりも重要であるとはしていない）。

イ　○：正しい。持続可能な開発目標（SDGs）は、持続可能な世界を実現するための17のゴール・169のターゲットから構成され、地球上の誰一人として取り残さない（leave no one behind）ことを誓っている。目標達成の年限は2030年となっている。

ウ　×：スリー・サークル・モデルは、ファミリービジネスをファミリー（家族）、オーナーシップ（所有）、ビジネス（事業）の3つのサブシステムで理解するためのフレームワークである。

エ　×：4Cモデルの4つのCが、継続性（Continuity）、コミュニティ（Community）、コネクション（Connection）、コマンド（Command）であることは正しい。しかし、4Cモデルは、4つのCのバランスが重要であり、いずれかに経営が偏らないようにすることが重要であるとしている。

オ　×：本肢の内容は、所有と経営の分離の説明である。所有と支配の分離とは、所有と経営の分離の段階からさらに株主が多数化し、一人ひとりの株主の発言権が低下することをいう。

正解　▶ イ

問題 43 コーポレートガバナンス

1 ／ 2 ／ 3 ／

コーポレートガバナンスに関する記述として、最も適切なものはどれか。

ア 株式会社における取締役は、本来のコーポレートガバナンスの主体者である株主から委任を受け、経営陣の任免や牽制の機能を有することになる。

イ 米国型のコーポレートガバナンスでは、長期的な視点で成長していくことを志向し、従業員よりも株主の利益を優先するという特徴がある。

ウ 日本型のコーポレートガバナンスでは、社内取締役による代表取締役に対する牽制機能が働きにくいため、伝統的に社外取締役の選任比率が高くなっている。

エ 事業規模が拡大し、株主の分散化が進んで重要な意思決定に影響を及ぼす大株主が存在しなくなると、所有と経営が分離するとともに、支配と経営も分離することになる。

解説　　スピテキLink▶　1編5章2節

コーポレートガバナンスに関する問題である。

ア　○：正しい。株式会社における取締役は、本来のコーポレートガバナンスの主体者である株主から委任を受け、経営陣の任免や牽制の機能を果たすというのが本来の役割である。

イ　×：米国型のコーポレートガバナンスでは、株主利益を優先する傾向が強いこともあり、その期待に応えるために、短期的な視点で業績を上げていくという傾向が強くなる。相対的に日本型のコーポレートガバナンスでは、伝統的に株主よりも従業員の利益を優先するため、長期的な視点で成長していくことを志向するという傾向が強いとされている（ただし、徐々に変化を遂げてはきている）。

ウ　×：日本型のコーポレートガバナンスでは、社内取締役が内部昇格者であり、代表取締役は上席者であるという構造にあるため、牽制機能が働きにくくなっている。このような問題に対し、社外取締役の選任比率を高めていく動きが見られるが、伝統的に（従来から）その比率が高くなっているということはない（低かったため、高めていくという動きが見られる）。

エ　×：事業規模が拡大し、株主の分散化が進んで重要な意思決定に影響を及ぼす大株主が存在しなくなると、企業の所有者である株主は分散された状況になり、経営を行う経営者とは分離される。よって、所有と経営が分離した状況になることは正しい。しかしながら、このような大きな力を有した株主が存在しない状況では、企業を実質的に支配するのは経営者ということになり、支配と経営は分離しない。分離するのは、所有と支配である。

正解　▶ア

5章

第２編
組織論

問題44　組織の存続条件

1 ／ 2 ／ 3 ／

組織の存続条件に関する次の文章を読み、空欄A、B、C、Dに入る最も適切な語句の組み合わせを下記の解答群から選べ。

組織が成立するには、活動主体である人間の貢献意欲が不可欠である。各人が提供する活動をまとめるためには、［ A ］が必要であり、それを［ B ］しなければならない。しかし、それが存続するためには、さらに環境変化に応じて［ A ］が変更され、達成されなければならない。同時に個人の貢献意欲を持続させるために必要な［ C ］を提供し続ける必要がある。［ C ］が個人の貢献を上回っているとき、組織は［ D ］であるといえる。

〔解答群〕

ア　A：能率　B：誘因　C：有効性　D：動態化された状態

イ　A：個人目標　B：提示　C：目標　D：官僚的な状態

ウ　A：共通目的　B：伝達　C：誘因　D：有効な状態

エ　A：有効性　B：再構成　C：課題　D：分権化された状態

解説

スピテキLink▶　2編1章1節1～3項

POINT

バーナードやサイモンは、組織の存続条件を組織目標（共通目的）の達成の程度を意味する「有効性」と、貢献から誘因への変換率を意味する「能率」という概念で表している。組織目標（共通目的）が達成している状態とは、組織が有効な状態である。また、組織目標（共通目的）は、コミュニケーション（伝達）によって組織内に浸透されなければならないし、環境変化に応じてその内容を変えていかなくてはならない。

組織がその参加メンバーに支払う誘因が、参加メンバーが組織に対して提供する貢献以上であるとき、組織の参加メンバーの貢献意欲が生まれる。

この誘因≧貢献の状態のとき、組織は有効な状態であるといえる。

よって、A：共通目的、B：伝達、C：誘因、D：有効な状態、があてはまる。

正解 ▶ ウ

問題45 組織の成立・存続条件

1 ／ 2 ／ 3 ／

組織が成立・存続するための条件に関する記述として、最も不適切なものはどれか。

ア 個人が組織の目的の実現のために行動しようという誘因と比較して、組織が所属している個人に対して行う貢献が等しいか大きい場合に、組織均衡が成り立つ。

イ 組織における活動が有効に行われるためには、業務を分業することと、それらを組織全体として統合したり、調整したりすることが必要になる。

ウ 企業がドメインを明確にすることによって、組織構成員における共通目的の醸成と浸透に貢献することができる。

エ 組織が成立するためには、所属しているメンバー間のコミュニケーションの経路が確保されていることが条件のひとつになる。

解説

スピテキLink ▶ 2編1章1節1～3項

POINT 組織が成立・存続するための条件に関する問題である。

ア ×：個人が組織の目的の実現のために提供する貢献と比較して、組織が所属している個人に対して供与する誘因が等しいか大きい場合に、組織均衡が成り立つ。

イ ○：正しい。組織は専門化のメリットを得るために業務を分業するが、たとえばある製品が、市場の状況としては1日で1万個くらいの販売が見込める状況において、仮に製造部門が生産を効率化して2万個生産したとしてもモノが余ることになる。よって、組織全体としての活動が有効に行われるためには、営業部門と製造部門などの間で統合や調整を行うことが必要になる。

ウ ○：正しい。組織の成立条件のひとつに組織構成員に共通目的があることがあげられる。また、これを実際に醸成し、浸透させていくためには、明確性が重要になるため、ドメイン（事業領域）を明確に示すことは、組織の目的を指し示すことに貢献することになる。

エ ○：正しい。組織の成立・存続のためには構成メンバーの間でコミュニケーションが取れることが必要になる。コミュニケーションによって、共通目的に向けての貢献意欲を引き出すことができる。

正解 ▶ ア

問題46　組織の設計原理

1 ／ 2 ／ 3 ／

組織の設計原理に関する記述として、最も適切なものはどれか。

ア　組織内で職務における業務手続きの公式化が進むと、職務遂行において個人が意思決定できる度合いが大きくなる。

イ　組織は、参加者の貢献を誘因へと変換するシステムであるといえるが、その変換率を生産性という。

ウ　組織構成員間の職務の相互依存度が高い場合、管理者の統制範囲は拡大しにくくなる。

エ　トップマネジメントは、例外的な業務処理や非定型的意思決定を下位階層に委譲し、定型的意思決定に専念する必要がある。

解説

スピテキLink▶ 2編1章1節3項、2節1・3・5項

組織の設計原理に関する問題である。組織を設計する際の原則には、専門化の原則、権限責任一致の原則、統制範囲の原則、命令統一性の原則、例外の原則といったものがある。

ア ×：公式化とは命令や指示、手続きなどが文書化される程度のことであり、これが進むことは職務遂行の方法が規定されるということである。よって、職務遂行において個人が意思決定できる度合いは小さくなる。

イ ×：貢献とはたとえば、従業員であれば、組織への労働力の提供であり、誘因はその見返りとしての賃金などの各種報酬である。組織は参加者の貢献をインプットとして、誘因をアウトプットするが、この変換率のことを能率という。

ウ ○：正しい。組織構成員間の職務の相互依存度が高い場合には、職務遂行時に構成員間で擦り合わせが多く行われることになる。また、統制範囲とは1人の上司が有効に指揮監督できる直接の部下の人数のことである。構成員間で擦り合わせが多い場合、管理者は調整を行う機会が増える。よって、統制範囲は拡大しにくくなる。

エ ×：例外的意思決定や非定型的意思決定とは戦略的意思決定ともいわれ、トップマネジメントが、外部環境の変化に対応した今後の戦略を考えるような意思決定のことである。一方、定型的意思決定とは日常業務における短期的、定型的な意思決定のことであり、組織内においてはロワーマネージメントが行う。よって、トップマネジメントは定型的意思決定を下位に委譲し、非定型的意思決定に専念するのが、組織運営上の原則である。

正解 ▶ ウ

問題47 組織の設計や組織における意思決定

1 ／ 2 ／ 3 ／

組織の設計や組織における意思決定に関する記述として、最も適切なものはどれか。

ア バーナードが示した組織の要素とは、共通目的、貢献意欲、コミュニケーションの3つである。

イ 組織の均衡条件とは、組織の参加者により誘因が十分にもたらされ、組織は参加者に対し誘因を引き出すのに足りるほどの貢献を供与することである。

ウ 職務の標準化を進めることにより、分業化が進み、組織内の役割は明確化するが、業務の習熟度を高めることの困難性は増す。

エ 管理者の統制範囲を拡大させるためには、管理者の例外処理能力を高めることが重要であるが、下位メンバーの例外処理能力は、管理者の統制範囲に影響を与えない。

オ トップマネジメントが定型的意思決定に忙殺され、管理的意思決定が後回しになることで将来の計画策定が軽視されることを計画におけるグレシャムの法則という。

解説

スピテキLink▶　2編1章1節2・3項、2節1・5項

組織の設計や組織における意思決定に関する問題である。

ア　○：正しい。

イ　×：組織の均衡条件とは、組織の参加者により貢献が十分にもたらされ、組織は参加者に対し貢献を引き出すのに足りるほどの誘因を供与することである。

ウ　×：職務の標準化を進めることにより、分業化が進み、組織内の役割が明確化することは正しい。そして、分業が進むことで特定の業務に集中することができるため、業務の習熟度を高めやすくなる。

エ　×：管理者の統制範囲を拡大させるためには、管理者の例外処理能力を高めることが重要であることは正しい。そして、下位メンバーの例外処理能力を高めることにより、管理者の管理負担は軽減するため、管理者の統制範囲の拡大に寄与する。

オ　×：トップマネジメントが定型的意思決定に忙殺され、戦略的意思決定が後回しになることで将来の計画策定が軽視されることを計画におけるグレシャムの法則という。管理的意思決定は、ミドルマネジメントが担う意思決定である。

正解　▶ ア

問題 48　組織形態

1 ／　2 ／　3 ／

組織形態に関する記述として、最も適切なものはどれか。

ア　機能別組織は集権型の組織であるため、命令系統の有効性が高いが、全社的マネジメントを担う人材が育ちにくい構造的特徴がある。

イ　事業部制組織は、製品や顧客タイプなどにより事業部を構成するが、原則的に各事業部が当該事業に必要な機能を保持するため、全社的には機能が冗長的になり、利益責任が不明確になる構造的特徴がある。

ウ　マトリックス組織は、機能別組織と製品別事業部制組織が並存する組織形態であり、限られた人的資源で効率的な事業運営が可能となり、組織内のコンフリクトが発生しにくい構造的特徴がある。

エ　カンパニー制とは、各カンパニーの独立採算を追求するために事業別に分社化し、企業グループを形成する組織形態である。

解説

スピテキLink▶ 2編1章4節2項

組織形態に関する問題である。組織の具体的な形態には、機能別組織、事業部制組織、カンパニー制、マトリックス組織といったものがある。

ア ○：正しい。機能別組織は集権型の組織であり、命令系統が明確であり、その有効性が高い。また、各機能に専門特化した人材が育成されやすいため、全社的マネジメントを担う人材が育ちにくい構造的特徴がある。

イ ×：事業部制組織は、製品や顧客タイプなどにより事業部を構成するが、原則的に各事業部が当該事業に必要な機能を保持するため、全社的には機能が冗長的になりやすい。そして、事業ごとに生産、販売などの機能を完結させることにより、利益責任が明確になりやすい構造的特徴がある。

ウ ×：マトリックス組織は、機能別組織と製品別事業部制組織が並存する組織形態であり、限られた人的資源で効率的な事業運営が可能となることは正しい。そして、機能部門と事業部門の利害や方向性、優先順位の相違などから、組織内のコンフリクト（葛藤、対立）が発生しやすい構造的特徴がある。

エ ×：カンパニー制とは、企業内の1つもしくは関連性が強い複数の事業をカンパニーとし、それぞれのカンパニーのトップに強い権限を与えて独立採算の追求を強化した組織形態である（事業別に異なる法人を設立する分社化を行うわけではない）。

正解 ▶ ア

問題49 組織のライフサイクルモデル

1 ／ 2 ／ 3 ／

組織のライフサイクルモデルに関する記述として、最も適切なものはどれか。

ア 起業者段階とは、創業者が外部組織との折衝や外部からの経営資源の獲得、さらに組織内部の管理の両面に注力し、組織の存続、成長を図る段階である。

イ 共同体段階とは、組織メンバーがそれぞれの役割を明確に意識し、強力なリーダーとフォーマルなコミュニケーションのもと、従業員のモラールを高める段階である。

ウ 公式化段階では、明確な管理システムが導入され、公式化が進展する一方で、官僚制が過度に進行しないよう、非公式な管理制度も並存させ機能させることの重要性が増す。

エ 精巧化段階では、組織の機能分化と管理の分権が進展し、組織が硬直化するおそれが強くなるため、小規模組織の設立やプロジェクトチームの導入などを通して組織の再活性化を図ることとなる。

解説

スピテキLink▶　2編1章5節1項

POINT 組織のライフサイクルモデルに関する問題である。組織のライフサイクルモデルとは、組織の成長・規模の拡大に対応して、組織の戦略行動や構造、組織文化、管理システムなどが変化していくパターンを包括的に説明するモデルである。一般に、起業者段階、共同体段階、公式化段階、精巧化段階という4つの段階に分類される。

ア　×：起業者段階とは、創業者が外部組織との折衝や外部からの経営資源の獲得に注力し、組織の存続、成長を図る段階である。一方で、組織内部の管理は軽視される傾向にある。

イ　×：共同体段階では、組織メンバーがそれぞれの役割を明確に意識し、貢献意欲が高まる。その一方で、強力なリーダーとインフォーマル（非公式）なコミュニケーションによって組織が統制され始める。また、インフォーマルであるにせよ、このような統制により、従業員が制約されていると感じると、自律意識（他からの支配や制約を受けずに、自分自身で立てた規範に従って行動すること）の危機（脅かされていると感じる）が生じる可能性がある。

ウ　×：公式化段階では、組織規模の拡大に応じて明確な管理システムが導入され、公式化が進展する（組織の官僚化）。組織の官僚化は、組織の成長段階において必要であるが、過度に進行すると官僚制の逆機能といわれる状況が生じる。しかし、非公式な管理制度も並存させ機能させることの重要性が増すわけではない。

エ　○：正しい。精巧化段階では、より一層の組織規模の拡大とともに組織の機能分化と管理の分権が進展し、組織が硬直化するおそれが強くなる。そのため、小規模組織の設立やプロジェクトチームの導入などを通した組織の動態化により、組織の再活性化を図ることになる。

正解　▶ エ

問題50 官僚制の逆機能

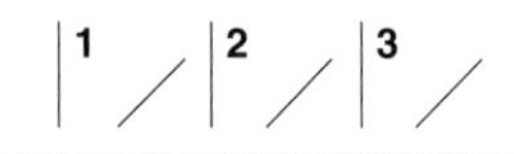

官僚制組織の逆機能に関する記述として、最も不適切なものはどれか。

ア 処罰を逃れるために、規則どおりの行動しかとらなくなる。

イ 規則を固守することが組織メンバーの目標になってしまうという、訓練された無能とよばれる事象が生じる。

ウ 過度な専門化と分業の強調によって効率性を追求するあまり、個人的な成長が阻害される。

エ 行動の標準化や規則の遵守により、個人の意思決定パターンが硬直化する。

オ 人間関係の非人格化を強制し、規則どおりの行動を促し、顧客中心のサービスが行われなくなる。

解説

スピテキLink▶ 2編1章5節2・3項

POINT 官僚制組織とは、高度に専門化された職務が権限・責任を基礎としたピラミッド型の階層を形成し、その中の構成員は規則に基づいた没主観的判断によって職務を遂行することを要請される組織である。官僚制組織には、専門性を発揮でき効率が高まるという順機能がある一方、意図せざるマイナスの結果としての逆機能も存在する。

ア ○：正しい。

イ ×：「規則を固守することが組織メンバーの目標になってしまう」ということは官僚制の逆機能の内容として、正しい。ただし、これは目標の置換とよばれる現象である。

ウ ○：正しい。

エ ○：正しい。選択肢の記述は、訓練された無能とよばれる事象に関する記述である。

オ ○：正しい。

正解 ▶ イ

問題51　組織のコンティンジェンシー理論

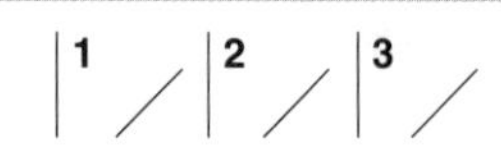

組織のコンティンジェンシー理論に関する記述として、最も適切なものはどれか。

ア　バーンズとストーカーは、組織構造を機械的システムと有機的システムに分け、前者は不安定な環境条件に適し、後者は安定した環境条件に適しているとした。

イ　ウッドワードは、生産技術と組織構造の関連性に関し、個別生産や装置生産では有機的な組織が、大量生産では機械的な組織が、それぞれ適合するとしている。

ウ　ローレンスとローシュによると、環境の不確実性が高い状況下において好業績をあげる企業は、組織内の機能の統合、調整よりも、顧客ニーズや技術動向の変化に対応するための組織の分業化をより重視する傾向にあるとしている。

エ　環境の不確実性が高い状況下では、スラック資源を保有するとコスト対応力が低下したり、組織メンバーの心理的な緩みが生じたりするため、スラック資源を最小化させ、効率的な組織運営を志向することが重要である。

オ　環境の不確実性が高い状況下では、組織内で処理すべき情報量を減らすために、部門間の調整を担うリエゾンを配置するなどして組織の水平関係の統合を図ることが有効となる。

解説

スピテキLink▶　2編1章6節2・3項

POINT 外部環境と組織に関する問題である。組織が自らを取り巻く外部の利害関係者との相互作用のうえに成立・存続することを考えると、外部環境に対しどのように組織が対応していくかは経営戦略上重要な視点であるといえる。

ア　×：バーンズとストーカーは、組織構造を機械的システム（機能別組織などのピラミッド型の官僚組織）と有機的システム（マトリックス組織などの水平的に協働関係が発展した柔軟な組織構造）に分け、前者は安定した環境条件に適し、後者は不安定な環境条件に適しているとした。

イ　○：正しい。ウッドワードは、生産技術と組織構造の関連性に関し、個別生産や装置生産では有機的な組織が、大量生産では機械的な組織が、それぞれ適合するとしている。個別生産などの小単位生産や、化学プラントなどの機械化された連続工程で構成される装置生産においては、高度な生産技術や調整技術を持った作業者に依存する度合いが高く、また工程間のコミュニケーションが重視されるため、水平的な協働関係が発展した柔軟な組織構造である有機的組織が適しているとされる。また、同一製品を大量生産する場合には、作業を分業化、標準化し、生産効率を向上させることが重視されるため、ピラミッド型で命令統一性の原則を遵守した機械的組織が適しているとされる。

ウ　×：ローレンスとローシュによると、環境の不確実性が高い状況下において好業績をあげる企業は、顧客ニーズや技術動向の変化に対応するための組織の分業化を進めるとともに、組織内の機能の統合、調整を高度に行う傾向にあるとしている。

エ　×：環境の不確実性が高い状況下では、在庫を多めに保有したり、人員や機械稼働に余裕をもたせたりするなどスラック資源（余裕資源）を保有することにより、不確実性に対応するための部門間の調整などを削減することができる。なお、スラック資源が多すぎると、本肢にあるようなコスト対応力の低下や組織メンバーの心理的緩みが生じるため、注意が必要となる。

オ　×：環境の不確実性が高い状況下では、①組織内で処理すべき情報量

（やりとり）を減らすことや、②組織の情報処理能力を高めることが有効である。①の手段としては、選択肢エでも触れたスラック資源の保有や、事業部制・プロジェクトチームなどの自己完結的組織単位の編成などが挙げられる。また、②の手段としては、本肢にあるリエゾン担当者（公式の統合担当者）を設置したりマトリックス組織を編成したりするなどの横断的組織や水平関係の統合化や、情報システムの利活用などが挙げられる。したがって、部門間の調整を担うリエゾンを配置する目的は、組織内で処理すべき情報量を減らすことではなく、組織の情報処理能力を高めることである。

正解 ▶ イ

Memo

問題52 資源依存モデル

1 ／ 2 ／ 3 ／

企業は事業活動において使用する資源の多くを外部から調達するため、少なからず外部組織に依存することになる。資源依存に関する記述として、最も適切なものはどれか。

ア 組織が特定の外部組織から調達している資源が、必須性が高くても取引量が少ないのであれば、依存度合は低くなる。

イ 調達価格が安い場合にはその資源の重要性が低いため、仮に特定の取引先から調達していたとしても資源依存度合は低くなる。

ウ ロビー活動などの政治的決定に働きかけることを通して、特定の調達先との資源依存関係を直接操作し、依存度を軽減することができる。

エ 資源を依存している調達先との人的な交流を推進することによって、仮に依存関係そのものは同様でも、調達の安定性を向上させることができる。

オ 特定の調達先に依存している資源を代替する資源を開発することは、依存度合をさらに向上させることになる。

解説

スピテキLink▶　2編1章6節1項

資源依存モデルとは、組織が事業活動を行う際に必要となる経営資源について、他の組織に対してどれだけ依存しているかを考察するものである。

ア　×：資源依存度の決定要因のひとつに「資源の重要性」がある。つまり資源の重要性が高いほど、その資源を保有している外部組織への依存度が高くなるということである。本選択肢では、たとえ取引量が少なくても必須性が高いということは、その資源がなければ事業活動に支障が出るということであり、資源としての重要性が高く、依存度合は高くなる。

イ　×：調達価格が安くても、その資源の必須性が高かったり、調達する量が多かったりする場合には、その資源の重要性は高いものになる。よって、資源を特定の取引先から調達している場合には、資源依存度合は高くなる。

ウ　×：ロビー活動は、政治に働きかけることによって政治的決定に影響を及ぼそうとする活動であり、資源依存関係を解消していくひとつの手段であるが、企業間で直接やりとりをするわけではなく、あくまで間接的な働きかけである。

エ　○：正しい。依存関係は認めつつも調達先との人的な交流を深め、良好な関係を構築することによって、資源調達の安定性を向上させることが可能になる。

オ　×：現在調達している資源を代替する資源を開発することができれば、現在依存している資源の必須性が低下するため、依存度合を低下させることができる。

正解　▶ エ

問題53 取引コスト

1 ／ 2 ／ 3 ／

企業が事業活動において使用するあらゆる資源は、多様な外部組織から調達することになるが、その際には取引に伴うコストが生じる。これに関する記述として、最も適切なものはどれか。

ア 業界内の売り手企業の数が少ない場合には、機会主義的行動が生じる可能性が低く、買い手企業の取引コストは低くなる。

イ 取引期間が長い得意先の場合には、要望が多岐にわたる可能性が高く、取引コストが高くなる。

ウ インテグラル型の製品を他社と協力して製造している場合には、綿密な擦りあわせが必要になるため、モジュール型の製品の製造と比較して取引コストが高くなる。

エ 特定の完成品メーカーに対して販売する部品を製造するための専用の設備投資を行い、それが売上の大半を占める場合、他の取引先を探す余地がないため、取引コストは低くなる。

オ 売り手との間で情報の非対称性が大きい場合、買い手は交渉の材料に乏しいため、取引コストは低くなる。

解説

スピテキLink▶ 2編1章6節1項

取引コストとは、組織間において経営資源を取引する際に生じるコスト（労力）のことである。

ア ×：機会主義的行動とは、自らが有利になるように取引を導こうとする駆け引き的行動のことである。業界の売り手企業が少ない場合には、仮に売り手企業が高額な取引価格を提示したとしても買い手企業は他の調達先が少ない以上、要求に応じざるを得なくなる。売り手企業もこの状況を知っているため、高額な価格提示を行って利益を得ようとすることになる。よって、**機会主義的行動が生じる可能性が高く、買い手企業の取引コストは高くなる**。

イ ×：取引期間が長い場合に、要望が多岐にわたる可能性が高いということ自体は考えられる。しかしながら、取引期間が短い場合と比較すればお互いに対する信頼があり、機会主義的行動を取る可能性が低い。また、相手の望むことも想定しやすいため、情報交換などのやりとりも少なくなり、**相対的には取引コストは低くなる**。

ウ ○：正しい。インテグラル型の製品を他社と協力して製造している場合には、やり取りが単に部品購入に伴うものだけでなく、組み立て方の擦り合わせなども生じることになる。一方、モジュール型の製品の場合には、部品の組み合わせ方が事前に決まっているため、擦り合わせがそれほど生じず、他社とのやり取りに伴う手間は少なくなる。よって、インテグラル型の製品のほうが取引コストが高くなる。

エ ×：特定の完成品メーカーに対して販売する部品を製造するための専用の設備投資を行い（関係特殊的投資）、それが売上の大半を占める場合には、確かに他の取引先を探す余地がないということは考えられる。しかしながら、このような状況においてはこの完成品メーカーから取引を中止されると大きな業績低下になるため、相手の要望をこまめに聞いたり、関係性を構築したりといった、管理や監視が必要になる。よって、**取引コストは高くなる**。

オ ×：売り手との間で情報の非対称性が大きい場合には、買い手は取引する財について精通していないため、交渉の材料に乏しいということはあるかもしれない。しかしながら、このような場合であっても、買い手は取引内容が妥当であるかを判断するために情報収集は行うことになるし、財について精通していなければ情報収集に大きな労力を要することになる。また、売り手側も買い手側の無知につけ込む機会主義的行動を取る可能性が高くなるため、このような場合には取引コストは高くなる。

正解 ▶ ウ

Memo

問題 54　環境不確実性への対応

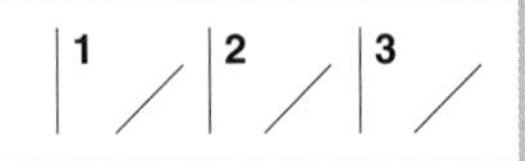

環境不確実性が高い状況における組織的な対応に関する記述として、最も適切なものはどれか。

ア　組織構造を機械的なシステムにすることの有効性が高くなる。

イ　それまでの事業活動についての詳細な分析をベースとした、リスクの少ない戦略を構築していく。

ウ　リエゾン担当者を組織の中に置くことは、組織内の水平方向の連携を強化するのに寄与することになる。

エ　スラック資源を保有することは、環境不確実性への対応力が低下することになる。

解説

スピテキLink▶　1編1章2節5項、2編1章6節2・3項

環境不確実性への対応に関する問題である。

ア　×：環境の不確実性が高い状況においては、組織構造を有機的なシステムにすることの有効性が高くなる。組織構造は、オーソドックスには、垂直方向に階層が構築され、規模が大きくなれば、徐々に官僚的にもなっていく。このようなベーシックな組織構造を機械的なシステムといい、環境が安定した状況では効果を発揮しやすくなる。しかしながら、環境の不確実性が高い状況においては、事前に規則や仕組みなどを規定しておく機械的、官僚的なシステムでは対応がしにくい。よって、水平的に協働関係を強化し、柔軟性をもたせた有機的なシステムの有効性が高くなる。

イ　×：環境不確実性が高いということは、先行きが見通しにくく、過去の経験をふまえても予測がしにくいということである（だからこそ不確実だと感じる）。よって、それまでの事業活動についての詳細な分析をベースとしたリスクの少ない戦略（分析型アプローチ）では、効果的なものになる可能性が相対的に低くなる。このような状況においては、環境の変化に応じて戦略を創発していくプロセス型アプローチが求められる。

ウ　○：正しい。リエゾン担当者とは、主に組織内の水平方向の統合を図るための公式の担当者であり、このような機能を組織の中に置くことは効果的である。

エ　×：スラック資源を保有することは、環境不確実性への対応力が向上することになる。スラック資源とは、組織内において生じる余裕資源のことであり、環境不確実性に対応するためにはこのような余力があることが重要になる。

正解 ▶ ウ

問題55 モチベーション理論

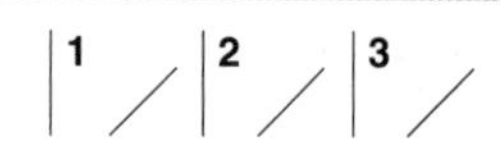

モチベーション理論に関する記述として、最も適切なものはどれか。

ア マズローの欲求段階説における欲求は、低次欲求から順に、生理的欲求、安全の欲求、自尊欲求、社会的欲求、自己実現の欲求の５段階で表される。

イ ハーズバーグの２要因論では、職場における人間関係の改善は満足をもたらす動機づけ要因の１つとされる。

ウ 強化説は、金銭や言語報酬のような外発的な動機づけを対象とし、報酬を常に与える連続強化よりも、何回かに１度与える部分強化のほうがより効果的であるとしている。

エ 期待理論においては、報酬を獲得できる主観的確率である誘意性と、その報酬がもつ魅力の度合いである期待との積和の大きさにより動機づけの強さが決定されるとする。

オ 職務特性モデルにおける技能多様性とは、職務に関連する多様なスキルやノウハウを習得した人ほど労働意欲が高まりやすいことを意味する。

解説

スピテキLink ▶ 2編2章1節

モチベーション理論に関する問題である。

ア ×：マズローの欲求段階説における欲求は、低次欲求から順に、生理的欲求、安全の欲求、社会的欲求（所属と愛の欲求）、自尊欲求（尊重の欲求または自我の欲求）、自己実現の欲求の5段階で表される。本肢は、社会的欲求と自尊欲求の順が逆となっている。

イ ×：ハーズバーグの2要因論（動機づけ＝衛生理論）では、職務に対するモチベーションに関連する要因を、①達成感や仕事への責任などの動機づけ要因（満足をもたらす要因）と、②給与や人間関係などの衛生要因（不満をもたらす要因）の2つに分類している。その上で、必ずしもすべての衛生要因を解決しなくても、動機づけ要因に働きかけることによってモチベーションを高めることができる、としている。

ウ ○：正しい。

エ ×：期待理論においては、報酬を獲得できる主観的確率である期待と、その報酬がもつ魅力の度合いである誘意性との積和の大きさにより動機づけの強さが決定されるとする。

オ ×：職務特性モデルにおける技能多様性とは、業務に必要なスキルが多様であるという職務の特性を表している。職務特性モデルは、職務の特性と人の仕事意欲との関連を説明したモデルであり、本肢のように人の特性を説明したモデルではない。

正解 ▶ ウ

問題 56 モチベーション理論

1 ／ 2 ／ 3 ／

モチベーション理論は、①内容理論と②過程理論に大別できる。モチベーション理論に関する下記の設問に答えよ。

設問 1 モチベーションの内容理論

下線部①内容理論に関する記述として、最も適切なものはどれか。

ア マズローの欲求段階説によれば、人間の欲求は生理的欲求から自己実現欲求へと段階的に高度化し、仮に高次欲求が満たされなければ、低次の欲求をより充足させようとするとされる。

イ アルダファーによるERGモデルによれば、人間の欲求は、存在の欲求、人間関係にかかわる関係の欲求、人間らしく生きたい成長の欲求に分けられ、上位欲求と下位欲求は並存することがあり得るとした。

ウ ハーズバーグの二要因論における衛生要因は、仕事そのものによる欲求要因ではないため、充足されなくともあまり不満に思うことはないとされる。

エ アージリスは自己実現モデルを提唱し、組織の健全化を図るためには組織構成員の裁量を拡大させる職務拡大が必要であるとした。

オ マグレガーのＹ理論では、人間は条件にかかわらず責任を進んで引き受けることも学習すると考えられ、組織構成員の企業目標達成努力が各自の目標達成につながるような状況を作り出すよう主張した。

設問 2　モチベーションの過程理論

下線部②過程理論の代表的なものとしてブルームの期待理論がある。期待理論に関する記述として、最も適切なものの組み合わせを下記の解答群から選べ。

a　動機づけの強さは、ある行動が報酬をもたらす主観的な可能性とその行動によってもたらされる報酬の主観的な魅力の和によって求められるとしている。

b　動機づけの強さは、ある行動が報酬をもたらす主観的な可能性とその行動によってもたらされる報酬の主観的な魅力の積によって求められるとしている。

c　期待理論は、報酬への期待という要素に着目し、すべての組織構成員のモチベーション形成や行動を普遍的にモデル化したものとして評価できる。

d　期待理論は、実際に組織構成員をどのように動機づけしていくのかといった具体的な政策を提示していない点に限界が見られる。

〔解答群〕

ア　aとc　**イ**　aとd　**ウ**　bとc　**エ**　bとd　**オ**　cとd

解説

スピテキLink▶ 2編2章1節1～3項

モチベーション理論に関する問題である。

設問 1

内容理論に関する問題である。

ア ×：マズローの欲求段階説によれば、低次欲求が満たされると、高次の欲求が生まれるが、仮に高次の欲求が満たされなくても、下位の欲求に戻ることはない（不可逆的）とされている。マズローは低次の欲求を充足させたいという動機を欠乏動機、高次の欲求を充足させたいという動機を成長動機として区別している。つまり、低次の欲求は充足されると関心がなくなるが、高次欲求（特に自己実現欲求）は満たされるほどよりいっそう関心が強化されるので、人間としての成長が促されるとしている。

イ ○：正しい。アルダファーによるERGモデルは、マズローの欲求段階説を修正したものである。欲求段階説とは異なり、ERGモデルでは、欲求は下位から上位へ、人間にとって基本的な存在の欲求（existence）→人間関係にかかわる関係の欲求（relatedness）→人間らしく生きたい成長の欲求（growth）に分けられ、3つの欲求が、同時に存在したり並行することがあり得るとした。また、成長の欲求が満たされなければそれに対する関心が低くなり、関係の欲求が強くなるといった上位欲求と下位欲求間の可逆的な関心の移行も強調している。

ウ ×：衛生要因とは低次欲求であり、仕事そのものによる欲求要因ではなく、充足されないと不満である一方で、完全に満たされる（満足する）状態に至ることはないとされる。つまり、衛生要因に基づく欲求には限りがないということである。また、動機づけ要因は高次欲求であり、働くという行為そのものの中にあるとされる。動機づけ要因は、充足されなくても特に不満ということはないが、経験してしまえばさらに強い満足を得るような欲求であるとされる。

エ ×：職務拡大とは、「職務に対する単調性を和らげるために、職務の構成要素となる課業の数を増やして仕事の範囲を拡大する方法」であり、職務の水平的拡大である。「組織構成員の裁量を拡大させる」のは、むしろ職務充実（職務の垂直的拡大）である。前半の記述は正しい。

オ　×：マグレガーのＹ理論では、人間は条件次第（あるいは報奨次第）で責任を進んで引き受けることも学習すると考えられた。「組織構成員の企業目標達成努力が各自の目標達成につながるような状況を作り出す」とは「目標による管理」の内容であり、正しい。

正解 ▶ イ

設問 2

期待理論に関する問題である。

a　×：ブルームの期待理論によれば動機づけの強さは、ある行動が報酬をもたらす主観的な可能性（期待という）とその行動によってもたらされる報酬の主観的な魅力（誘意性という）の積によって求められるとしている。動機づけには期待と誘意性の両方が必要であるが、報酬の魅力が非常に高いものであっても報酬がもたらされる可能性がまったくなければ動機づけされないであろう。よって期待と誘意性の和ではなく積で動機づけの強さは決定される。

b　○：選択肢ａでの説明のとおりであり、正しい。

c　×：期待理論は人間を努力によって報酬が得られるか、報酬が魅力的かどうかの判断のみによって動機づけられるという功利主義的な合理人モデルとしてとらえている。したがって、報酬以外の要素（たとえば社会貢献意欲など）によって動機づけられる組織員を想定していないという限界がある。

d　○：期待理論の限界に関する記述であり、正しい。

正解 ▶ エ

問題57 モチベーション理論

1 ／ 2 ／ 3 ／

モチベーション理論に関する記述として、最も適切なものはどれか。

ア マズローの欲求段階説における最上位欲求は欠乏動機といわれ、1度満たしても更なる欠乏感が生じ、完全に満たされることはないとされる。

イ アージリスは、人には成熟した存在になることを望むという欲求があり、このことを踏まえた場合、組織内における管理原則は動機づけを低下させることから、職務拡大などを実施することの意義が大きくなることを指摘している。

ウ 公平説では、労働などのインプットに対する報酬などのアウトプットの比率が、他人以上であれば公平であると感じることになる。

エ 期待理論においては、外的要因である報酬が動機づけ要因とされており、組織内にチームを組んでメンバーと協力して目標を達成し、その上で報酬が得られる状況の場合に、より一層動機づけられるとしている。

オ 職務特性モデルでは、多様なスキルを有し、重要な仕事を実施することを望むなどの5つの特性を有した人物は、仕事に対して高い意欲を持つことになる。

解説

スピテキLink▶　２編２章１節２～４項

モチベーション理論に関する問題である。

ア　×：マズローの欲求段階説は欲求を５段階で捉えているが、そのうちの最上位欲求は自己実現の欲求といい、それ以外の４つの欲求を欠乏動機という。また、この最上位の欲求は、完全に満たされることはないとしているのは正しいが、その理由は、他の４つとは異なり、満たせば満たすほど、より一層高い水準で満たしたいと考えるようになるという成長動機であるととらえられているからである。いずれにしても、欠乏感が生じることを扱っているものではない。

イ　○：正しい。アージリスは、マズローの欲求段階説における最上位欲求である自己実現の欲求に着目し、人には成熟した存在になることを望むという欲求があり、このことを踏まえた場合、組織内における管理原則は未成熟な特質を要求することになるため、動機づけを低下させるとしている。そのため、職務の単調感を緩和するために、職務拡大などを実施することの意義が大きくなることを指摘している。

ウ　×：公平説では、労働などのインプットに対する報酬などのアウトプットの比率が、他人と同等であれば公平であると感じることになる。

エ　×：期待理論においては、外的要因である報酬が動機づけ要因とされているのは正しい。しかしながら、期待理論は、自己の利益を求め、打算的であるという人間観に基づいているため、組織内にチームを組んでメンバーと協力して目標を達成するということでより一層動機づけられるというものではない。

オ　×：職務特性モデルとは、文字通り、職務の特性に着目するものである。具体的には５つの特性を想定しており、その特性を有した職務であれば、人はその職務に対して動機づけられるというものである。よって、多様なスキルを有し、重要な仕事を実施することを望むなどの５つの特性を有した人物が、仕事に対して高い意欲を持つということではない（人の特性ではなく、職務の特性である）。

正解　▶ イ

問題58　集団の行動特性

1 ／　2 ／　3 ／

集団の行動特性には個人の場合と異なる特徴が見られる。集団の行動特性に関する記述として最も適切なものはどれか。

ア　集団に属するメンバーが物理的に近接している場合や、各メンバーのタスクが独立的に行われている場合には、集団の凝集性が高くなる。

イ　集団の目標と組織の目標が一致しており、集団の凝集性が高くなれば組織の生産性は向上する。

ウ　集団メンバーの社会的背景やイデオロギーが異質であるほど集団特有の基準や規範が形成されるようになり、メンバーへ強い斉一性への圧力が生じることになる。

エ　凝集性が低い集団において外部から何らかのプレッシャーがもたらされた場合、グループシフトが生じる可能性が高くなる。

解説

スピテキLink▶　2編2章2節3項

POINT 集団の行動特性（集団の凝集性、グループシンク）に関する問題である。集団の凝集性とは、端的に言えば「集団の団結の度合い」である。グループシンク（集団浅慮）とは、集団で意思決定を行うと、かえって短絡的に決定がなされてしまうという現象のことである。

グループシンクの兆候は、①決定に関する極度の楽観主義、②集団による合理化、③グループ特有の倫理的価値観への過信、④グループ外のライバルや敵のステレオタイプ化、⑤集団の意見へ同調させる圧力、⑥集団の合意からの逸脱に関する自己検閲、⑦全員の意見が一致しているという幻想の共有、⑧反対意見からグループを守ろうとするメンバーの出現、などに見出される。

グループシンクを惹起する要因としては、①意思決定者集団の結束力の強さ、②外部情報からの孤立、③公平無私なリーダーシップの欠如、④方法論的手続きに必要な規範の欠如、⑤同質的なメンバーの経歴やイデオロギー、⑥より優れた代替案が発見困難であることによるストレスの存在、⑦意思決定が極度に困難であるなどの理由による意思決定メンバーの代替案探索・評価能力の低下、などがあげられる。

ア　×：集団に属するメンバーが物理的に近接している場合や、各メンバーのタスクが相互依存関係にある場合には、集団の凝集性が高くなる。

イ　○：正しい。集団の目標と組織の目標が一致していなければ、集団の凝集性が高くなっても組織の生産性は向上しない点には注意する。また集団の凝集性が高くても必ずしも集団の生産性が向上するわけではない。たとえば集団メンバーが皆、仕事よりも個人的な事情を優先するという点で意見が一致している場合も集団の凝集性が高い状態であるが、この場合は組織の生産性（あるいは集団の生産性）は向上しないであろう。

ウ　×：集団メンバーの社会的背景やイデオロギーが同質的であるほど、集団の凝集性は高くなり、集団特有の基準や規範が形成されるようになる。その結果、閉鎖的な発想法にとらわれたり、集団に対する過剰評価につながり、メンバーへの強い斉一性への圧力が生じることになる。

エ　×：凝集性が高い集団において外部から何らかのプレッシャーがもたらされた場合、グループシフト（グループシンクの代表的な傾向であり、意思決定の内容が極端になること）が生じる可能性が高くなる。リスキーな傾向があるメンバーからなる集団においてはよりリスキーな意思決定が行われる傾向がある（逆の場合は逆の傾向となる）。

正解　▶　イ

Memo

問題 59 組織の中の集団

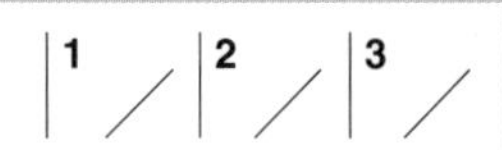

組織の中の集団に関する記述として、最も適切なものはどれか。

ア 集団の凝集性が高い場合には、集団内において形成される規範などに反発することを促す圧力が生じることになる。

イ 集団にとっての脅威やストレスがあまりない状況においては、意思決定において十分な検討がなされず、集団浅慮が生じることになる。

ウ ホーソン効果は、作業場における照明の明暗によって産出量が異なるという調査結果から、作業環境を整えることが生産性向上において重要な要素であるということを導き出したものである。

エ 組織内のメンバーの業務が相互依存的な場合には、コミュニケーションが密に行われるが、コンフリクトが生じる可能性は高くなる。

オ 遂行しようとしているタスクにおいて、同質的な特性を有した組織メンバーによるマンパワーが求められる場合には、チームを構成して進めていくことの有用性が高くなる。

解説

スピテキLink▶ 2編2章2節3～5項

組織の中の集団に関する問題である。

ア ×：集団の凝集性とは、集団の各メンバーが互いに引き合う程度である。これが高い場合には、集団内において形成される規範などに従うことを促す圧力が生じることになる。

イ ×：集団浅慮とは、集団で意思決定を行うことが、かえって短絡的な決定を生み出してしまう（意思決定において十分な検討が行われない）というものである。このような状況を生み出しやすいのは、集団の凝集性が高く、集団にとっての脅威やストレスがある状況である。

ウ ×：ホーソン効果は、作業場における照明の明暗を変えても、産出量が変わらなかったという調査結果から、人は作業環境などよりも、注目されたり、期待されたりすることで、効果を上げるために意識的、または無意識的に団結して協力するといったことを導き出したものである。

エ ○：正しい。組織内のメンバーの業務が相互依存的な場合には、調整が必要になるため、コミュニケーションが密に行われることになる。そして、この場合にはコンフリクトが生じる可能性が高くなる。調整しなければならない要素が多いほど、その分、対立する可能性も高まるためである。

オ ×：遂行しようとしているタスクにおいて、同質的な特性を有した組織メンバーによるマンパワーが求められる場合には、チームを構成して進めていくことの有用性が相対的には高くない。チームを構成することが有用になるのは、多様なスキルを結集する必要性が高い場合であり、多くの場合、部門横断的にメンバーを募って構成されることになる。

正解 ▶ エ

問題60 コンフリクト

1 ／ 2 ／ 3 ／

コンフリクトに関する記述として、最も適切なものはどれか。

ア　コンフリクトは、組織構造や組織管理の不整備により生じることが多いため、これらを整備することにより、コンフリクトの発生を回避することができる。

イ　コンフリクトが存在する状況は、組織にとって非生産的な状況であるため、コンフリクトは多様な手段を尽くして可能な限り発生を抑制したり、顕在化したコンフリクトを解消したりするマネジメントが求められる。

ウ　コンフリクトは、組織が保有する資源の競合性が認められる場合に発生しやすくなるが、この際の資源とは物的資源に限られる。

エ　部門間の業務に相互依存性が認められる場合、部門間の共同意思決定の必要性が高まることで、コンフリクトが生じる可能性が高くなる。

オ　コンフリクトが生じている状況において、政治的解決を図ることはコンフリクトの根本的解決に有効である。

解説

スピテキLink▶　2編2章2節4項

POINT コンフリクトに関する問題である。コンフリクトは、葛藤や対立などと訳される。

ア ×：コンフリクトは、複数の個人間または集団間、部門間に生じる対立的あるいは敵対的な関係のことであり、組織内には顕在化したものだけでなく、潜在的なものも含め無数のコンフリクトが生じる。コンフリクトは日常的に生じる不可避なものであるため、組織構造や組織管理を整備しても発生を回避することはできない。

イ ×：コンフリクトが存在する状況は、組織にとって非生産的な状況である場合もあるが、多少の緊張感が組織メンバーの行動の動機づけとなったり、また、組織内の見解の違いが新しい価値の創造に貢献したりといった生産的な状況を生むこともある（すべてのコンフリクトが非生産的な状況というわけではない）。

ウ ×：コンフリクトは、組織に十分な資源が保有されずに、個人間または部門間で資源に対する競合性が認められる場合に発生しやすくなることは正しい。しかし、この際の資源とは物的資源に限られず、予算や人的資源の競合もコンフリクトの発生要因となる。

エ ○：正しい。部門間の業務に相互依存性が認められる場合、各種の調整が必要になるため、コミュニケーションが密に行われることになる。そして、この場合にはコンフリクトが生じる可能性が高くなる。調整しなければならない要素が多いほど、その分、対立する可能性も高まることとなる。

オ ×：コンフリクトが生じている状況において、政治的解決を図ることは当面のコンフリクトの解消には有効であるが、根本的な解決が図れるわけではない。コンフリクトの生産的な解決を図るためには、当事者間で曖昧な妥協をするのでも、一方が強権的に意見を貫き通すでもなく、問題を直視して協力的に前向きに解決を図る必要がある。

正解 ▶ エ

問題61 リーダーシップ論

1 ／ 2 ／ 3 ／

リーダーシップ論に関する記述として、最も適切なものはどれか。

ア アイオワ研究においては、組織メンバー個々人が自由に意思決定を行う放任型リーダーシップが最も優れたリーダーシップであるとしている。

イ ミシガン研究では、リーダーの主要な行動を「配慮」と「構造造り」であるとし、両方に対して高い関心を示すリーダーの下では、部下の業績と満足度が高まる可能性が高いとしている。

ウ PM理論では、Pが配慮、Mが構造造りにおおむね対応し、PとMがともに高いリーダーシップスタイルが有効であるとしている。

エ フィードラーの状況適合論では、リーダーにとって統制しやすい状況および統制しにくい状況において低LPC型リーダーによるリーダーシップスタイルが適しているとしている。

解説

スピテキLink▶　2編2章3節1・2項

POINT リーダーシップ論に関する問題である。リーダーシップとは経営目的達成のために人々に影響力を及ぼすことである。リーダーシップ論は、大まかに資質特性論、行動類型論、状況適合論という変遷をたどってきている。

ア　×：アイオワ研究においては、リーダーは援助し、集団で討議して意思決定を行う民主型リーダーシップが最も優れたリーダーシップであるとしている。

イ　×：本肢の内容は、ミシガン研究ではなくオハイオ研究の説明である。

ウ　×：PM理論では、P（Performance）が構造造り、M（Maintenance）が配慮におおむね対応し、PとMがともに高いリーダーシップスタイルが有効であるとしている。

エ　○：正しい。LPCとは、リーダーのメンバーに対する評価や態度の尺度であり、低LPCリーダーとはメンバーに対して厳しく評価するタイプのリーダーであり、低LPCリーダーはタスク志向型のリーダーシップをとる傾向がある。そして、①リーダーと成員との関係、②タスクの構造、③地位勢力の3要因について、リーダーにとって統制しやすい状況および統制しにくい状況においては、タスク志向型のリーダーシップが適しているとしている。

正解 ▶ エ

問題62　組織文化と組織学習

1 ／ 2 ／ 3 ／

組織文化と組織学習に関する記述として、最も適切なものはどれか。

ア　組織メンバーが同質的な特性を有していたり、それぞれのタスクの相互依存度が高かったりする場合には、組織文化は強固になりやすい。

イ　ハイアラーキー文化では、顧客ニーズに柔軟に対応するなど、環境からのシグナルを感知することや、積極的にイノベーションを起こすこと、そのために怖れずにリスクを取ることなどが推奨される。

ウ　漸次的進化過程とは、組織が危機に直面するなど、それまでの延長上ではない別の段階に移行していく必要性が生じた際の発展プロセスであり、この場合に必要になるのが組織全体に影響を及ぼす高次学習である。

エ　高次学習が促進されにくくなる一因である傍観者的学習とは、組織内で個々のメンバーに与えられた役割や責任などにより、個人が行動に移すことが困難な状況を指す。

オ　SECIモデルは、暗黙知と形式知の相互変換によって組織的に知識が創造されていくプロセスであり、その中の1つのモードである内面化とは、個人が蓄積した暗黙知が形式知化されていくものである。

解説

スピテキLink▶ 2編2章4節1・2項

POINT 組織文化と組織学習に関する問題である。組織文化とは組織メンバー間で共有された価値や信念、あるいは習慣となった行動パターンの集合体のことをいう。

ア ○：正しい。組織メンバーが同質的な特性（性や年齢、学歴、職能など）を有している場合には、共通の意識を持ちやすく、組織文化が強固になりやすいとされる。また、それぞれのタスクの相互依存度が高い場合には、コミュニケーションによって共通認識を持つ機会が多く、やはり組織文化は強固になりやすいとされる。

イ ×：ハイアラーキー文化とは官僚主義的文化であり、この文化は、安定した環境において、その状況との整合性をとることを重視し、秩序だったタスクの遂行が推奨される文化である。顧客ニーズに柔軟に対応するなど、環境からのシグナルを感知することや、積極的にイノベーションを起こすこと、そのために怖れずにリスクを取るのは、アドホクラシー文化（起業家的文化）である。

ウ ×：漸次的進化過程とは、安定した状況における継続的な改善の積み重ねである。組織が危機に直面するなど、それまでの延長上ではない別の段階に移行していく必要性が生じた際の発展プロセスは、革新的変革過程である。この場合に必要になるのが組織全体に影響を及ぼす高次学習であることは正しい。

エ ×：高次学習が促進されにくくなる要因にはさまざまなものがあるが、傍観者的学習とは、大きく変わっていくための学習を組織内の個人が行っても、それが組織内の行動にならず、個人が傍観者と化している状態である。選択肢に書かれている内容は役割制約的学習である。

オ ×：SECIモデルが、暗黙知と形式知の相互変換によって組織的に知識が創造されていくプロセスであることは正しい。その中の１つのモードである内面化とは、共有された形式知が、属人的な暗黙知として再び個人に取り込まれていくものである。個人が蓄積した暗黙知が形式知化されていくのは表出化である。

正解 ▶ ア

問題63 組織学習

1 ／ 2 ／ 3 ／

組織学習に関する次の文章を読み、文中の空欄A、B、C、Dに入る用語の組み合わせとして、最も適切なものを下記の解答群から選べ。

組織の発展プロセスは、それぞれの段階における漸次的進化過程と、ある段階から別の段階に飛躍する革新的変革過程という2つのタイプの変化プロセスが交互に組み合わさって成立している。漸次的進化過程とは、おのおのの安定した段階において進行する継続的な改善の積み重ねを指し、組織学習は［A］が中心となる。一方、革新的変革過程は経営危機に直面した企業が新しい組織を構築していくに際し、今までとは別の段階へと移行していく不連続な変化であり、組織学習は［B］が中心となる。

一般的には組織学習は［C］が促進される傾向がある。この要因のひとつとして、［D］の存在があげられる。これは公式の文書として制度化されている諸規則や手続き、組織構造などの形態をとる。

〔解答群〕

ア A：ダブルループ学習　B：シングルループ学習
　C：ダブルループ学習　D：終身雇用制度

イ A：ダブルループ学習　B：シングルループ学習
　C：シングルループ学習　D：グループシンク

ウ A：シングルループ学習　B：ダブルループ学習
　C：ダブルループ学習　D：制度的リーダーシップ

エ A：シングルループ学習　B：ダブルループ学習
　C：シングルループ学習　D：組織ルーティン

オ A：シングルループ学習　B：ダブルループ学習
　C：シングルループ学習　D：リッチな情報

解説

スピテキLink▶　2編2章4節2項

POINT 組織の発展プロセスは、それぞれの段階における漸次的進化過程と、ある段階から別の段階に飛躍する革新的変革過程という2つのタイプの変化プロセスが交互に組み合わさって成立している。

漸次的進化過程とは、おのおのの安定した段階において進行する継続的な改善の積み重ねを指し、組織学習は漸進的な学習である低次学習、あるいはA：シングルループ学習（既存の制約条件・枠組みのなかで行う修正・学習活動）が中心となる。

一方、革新的変革過程は経営危機に直面した企業が新しい組織を構築していくに際し、今までとは別の段階へと移行していく不連続な変化であり、組織学習は断続的な学習である高次学習、あるいはB：ダブルループ学習（既存の価値や目標、政策などの枠組みを超えて行う活動）が中心となる。

一般的には組織学習は低次学習（あるいはC：シングルループ学習）が促進される傾向がある。この要因のひとつとして、D：組織ルーティン（組織の行動プログラム）の存在があげられる。これは公式の文書として制度化されている諸規則や手続き、組織構造などの形態をとる。

なお、グループシンクとは、（個人ではなく）集団で意思決定を行うと、かえって短絡的に決定がなされてしまうという現象のことである。制度的リーダーシップとは、組織に価値観を注入して組織全体を率いていくステーツマンシップのことである。リッチな情報とは、今までにないような多様な解釈（意味・教訓）を導き出せる程度の高い、すなわち潜在的多義性が高い情報（経験）のことで、高次学習の源になるものである。

正解 ▶ エ

問題 64 組織学習

1 ／ 2 ／ 3 ／

組織学習に関する記述として、最も適切なものはどれか。

ア 低次学習とは組織の成果に対して与える影響が小さい学習であり、高次学習とは組織の成果に対して与える影響が大きい学習であるため、組織メンバーには高次学習をより意識させる必要がある。

イ 高次学習とは革新的変革過程における学習であり、組織の上位階層でのみ行うのでなく、組織全体として取り組む学習である。

ウ 迷信的学習とは、個人の学習成果が組織の次の行動に生かされない状態を指す。

エ SECIモデルにおける連結化とは、個人の暗黙知が共有され、新たな暗黙知が創出されていくプロセスを指す。

解説

スピテキLink▶　2編2章4節2項

組織学習に関する問題である。

ア　×：低次学習とは漸進的な学習であり、主に既存の制約条件・枠組みの中で行う修正・学習活動であるシングルループ学習を指す。また、高次学習とは断続的な学習であり、既存の価値や目標、政策などの枠組みを超えて行う学習活動であるダブルループ学習を指す。両者は、組織の成果に対して与える影響の大小で分けられるものではなく、また、組織メンバーには両者とも意識させる必要がある。

イ　○：正しい。高次学習とは革新的変革過程における学習であり、組織の上位階層を中心に行われることが多いが、上位階層のみで行うわけではなく、組織全体として取り組むべき学習活動である。

ウ　×：本肢の内容は、傍観者的学習の説明である。迷信的学習とは、個人が組織の行動に影響を与えるが、組織の行動は環境に何ら作用しない状態のことをいう。

エ　×：本肢は、SECIモデルにおける共同化（ないし社会化）の説明である。SECIモデルは、暗黙知と形式知の相互変換によって組織的に知識が創造されていくプロセスを説明するモデルである。また、連結化とは、形式知を組み合わせて、より高次の形式知へと体系化していくことをいう。

正解　▶ イ

問題 65 戦略的組織変革

1 ／ 2 ／ 3 ／

戦略的組織変革に関する記述として、最も適切なものはどれか。

ア 潜在的には組織変革の必要性が生じていても、当面の業績が良く、現在の戦略よりも優れたものを探索する必要性を感じられない状況を、有能性のわなという。

イ 組織変革を進める際に必要となる知見を得るために要する金銭や時間といったコストを埋没コストという。

ウ 組織変革を行うことは、既存の方法の失敗や欠点を認める必要があり、経営者や管理者の心理的コストが上昇するため、このような状況においては、下位メンバーを中心に組織変革が進められる。

エ 経営者が組織変革の必要性を認識するためには、経営管理の枠組みの中で高度に選別された重要度が高い情報を数多く収集する必要がある。

解説　　スピテキLink▶　2編2章4節3項

POINT　戦略的組織変革に関する問題である。組織が環境変化に適応し、成長を遂げるためには組織変革が必要になる。組織変革とは、組織の戦略、構造、文化、プロセスなどを抜本的に変革することである。

ア　○：正しい。「有能性のわな」とは、現在の戦略や方針によって一定の結果が出ている場合に、現在の延長上にある活動を継続することで、変革を行う動機づけが失われてしまうことをいう。

イ　×：埋没コストは、回収不能なコストであり、組織変革の状況に当てはめれば、変革によってそれまでの事業展開を行うために生じてきたコストが回収できなくなる際に生じる。必要となる知見を得るために要する金銭や時間といった将来的に発生するコストは埋没コストではない。

ウ　×：組織変革を行うことは、既存の方法の失敗や欠点を認める必要があり、経営者や管理者の心理的コストが上昇することは正しい。しかし、組織変革はあくまでも経営者がその必要性を認識し取り組む必要があるため、下位メンバーを中心に組織変革が進められるわけではない。

エ　×：経営者が組織変革の必要性を認識するためには、既存の報告ルートを通じて加工された情報ではなく、多様な解釈が成立し得る生のデータへ直接アクセスすることが必要とされる。

正解　▶ ア

問題66 戦略的組織変革

1／ 2／ 3／

組織変革に関する記述として、最も不適切なものはどれか。

ア 組織が情報収集や情報処理のプロセスをルーティン化することは、既存ビジネスに関係のない情報を排除する傾向を強め、組織変革の必要性を認識することができない可能性が高まる。

イ 経営陣が、行ってきた事業の失敗を認識し、その責任を認めることに対する抵抗感からくるものである埋没コストの存在は、組織を現状にとどめようとする要因になる。

ウ 組織として一定の利潤を獲得し、現状にも特に不満がない場合に、変革に対する動機づけが低下することを有能性のわなという。

エ 組織変革の必要性を認識するためには、経営陣はリッチな情報の獲得・解釈が必要になるが、その場合、組織的な余剰資源の活用や加工されていない生データへのアクセス、組織内で生じるコンフリクトの多様な解釈などが重要になる。

オ 組織変革の必要性が認識され、変革案を創造する段階においては、フェイス・トゥ・フェイスの対話に加え、IT技術なども活用するなど、暗黙知を形式知化するプロセスを経て、情報の冗長性を高めることが必要である。

解説

スピテキLink▶　2編2章4節3項

戦略的組織変革に関する問題である。

ア　○：正しい。組織が情報収集や情報処理のプロセスをルーティン化するのは、既存ビジネスを管理・運営するためであるが、このことにより、既存ビジネスに直接関係ない情報収集や情報処理が行われにくくなる。しかしながら、既存ビジネスに直接関係のない情報にこそ、組織変革の必要性を示すシグナルが含まれていることが少なくない。つまり、ルーティン化によって組織変革の必要性を示唆する情報の排除が行われ、その認識ができない可能性が高まることになる。

イ　×：経営陣が、行ってきた事業の失敗を認識し、その責任を認めることに対する抵抗感から、組織を現状にとどめようとする（組織変革の抵抗要因となる）こと自体はよく見られることである。しかしながら、埋没コストとは、回収不能なコストのことである。組織変革に当てはめれば、現在遂行しているプログラムを捨てるような変革を遂行することにより、そのプログラムに対して投資してきたものが回収できなくなるといったことである。よって、埋没コストは選択肢に書かれているような状況を指す概念ではない。

ウ　○：正しい。「有能性のわな」とは、有能である（うまくいっている）ことによって、現状を変えることに対する動機づけが生じにくくなってしまうことである。この状態になると、現状で満足することになり、現状を捨ててより優れたものを探そうとする行動を取りにくくなる。

エ　○：正しい。リッチな情報とは、潜在的多義性の高い情報（多様な可能性、新たな可能性を秘めた情報）である。経営陣が組織変革の必要性を認識するには、リッチな情報を獲得し、多様に解釈する必要がある。そして、このようなことを行うためには、組織的な余剰資源を持っていること、生データ（リッチな情報はここに存在する可能性が高い）へアクセスすること、組織内で生じるコンフリクトの多様な解釈（変革の方向性を指し示すヒントが存在している可能性がある）などが重要になる。

オ ○：正しい。変革の必要性が認識され、変革案を創造する段階においては、その変革案の基となるアイデアを、各人が暗黙知の状態で有している可能性が高い（少なくとも形式知化はされていない）。この状態から変革案を生み出すためには、各人が持つ情報をフェイス・トゥ・フェイスの対話などによって形式知化するプロセスを経て、情報の冗長性を高める必要がある（共通の情報を持ち、共通認識を形成していく）。その際には、IT技術も活用することは効果的であり、これによって組織知としていく取り組みをナレッジマネジメントという。

正解 ▶ イ

Memo

問題67 雇用管理

1 ／ 2 ／ 3 ／

従業員を雇用するにあたっては、企業の実情に合わせた管理制度を整備しておく必要がある。雇用管理に関する記述として、最も適切なものはどれか。

ア ジョブローテーションを実施することで、高い専門性を有した人材育成が可能になる。

イ 職能資格制度による人事制度を採用している場合には、入社時に配属された部署からの人事異動がしにくく、人材の流動性が低くなる。

ウ 人事異動における垂直的な異動である昇格とは、現在従事している役職より上位の役職へ異動するものである。

エ 複線型人事制度を採用することによって、適材適所の人材配置や、退職の防止などのメリットが得られる。

オ 勤務延長制度とは、定年に達した人材の有効活用のため、定年退職後に再度雇用契約を結ぶものである。

解説　スピテキLink▶　２編３章１節１・２項、２節２・３項

POINT 雇用管理に関する問題である。雇用管理の対象には、採用、配置、異動、退職などがある。

ア　×：ジョブローテーションは従業員に１つの職務だけでなく、他のいくつかの職務を定期的、計画的に経験させる方法であるため、経営管理者、もしくはゼネラリストの育成という目的で実施されることが多い。よって、多くの職務を体験していくことになるため、特定の職務に高い専門性を有した人材育成は困難になる。

イ　×：職能資格制度は、個々の従業員の職務遂行能力を基準に人事を実施していく人事制度であるため、入社時に配属された部署からの人事異動がしにくいということはない。一方、対比するものである職務等級制度は、職務の価値を基準とした人事を実施していくものであり、人事異動により職務が変わると、報酬も変わってしまうことになる。また、この制度の場合、特定の職務を遂行するという前提で入社するケースも多いために人事異動がしにくく、人材の流動性が低くなる。

ウ　×：人事異動における垂直的な異動には役職や資格の上昇や下降といったものがある。具体的には、役職の異動が昇進や降職であり、資格の異動が昇格や降格である。

エ　○：正しい。複線型人事制度とは、複数のキャリアやコースを設定して従業員に選択させる制度である。従業員の特性に応じたキャリアが選択できるため、適材適所の人材配置が可能になり、また個々人の価値観やライフプランの多様化などに対応ができるため、退職の防止につながるといったメリットがある。

オ　×：勤務延長制度とは、定年年齢に達した者を退職させることなく引き続き雇用する制度であるため、再度雇用契約を結ぶものではない。似た制度である再雇用制度は、定年に達した者をいったん退職させ、その後改めて雇用する制度である。

正解　▶ エ

問題68 人事考課

1 ／ 2 ／ 3 ／

人事考課に関する記述として、最も不適切なものはどれか。

ア 人事考課は、報酬を決定することに加え、適切な従業員の能力開発や配置を行うことを目的に実施され、従業員のモラールに影響を与える。

イ 多面評価とは、成果だけでなく潜在的な能力も含め、あらゆる観点から総合的に人材を評価する手法である。

ウ ハロー効果を防止するためには、自己申告制度や考課者訓練の実施などの方策が有効である。

エ 目標管理制度は組織全体としての視点を考慮しつつも、本人の自主性を尊重することが重要になる。

オ 情意評価の実施により、業務によって目に見えて生み出された成果以外の面も含めて評価することが可能になる。

解説

スピテキLink▶　2編3章3節1・2項

人事考課に関する問題である。人事考課とは、従業員個々人の知識、性格、職務遂行能力、適性、業績などを一定の基準に基づいて評価するものである。

ア　○：正しい。人事考課は従業員の配置や異動、能力開発、報酬などに反映される人事システムの中核的なサブシステムである。また、公平性や透明性に欠けるなど、適正に行われなければ、従業員のモラールにも悪影響を与えることになる。

イ　×：多面評価とは、上司以外に、同僚や部下、関連する他の部署の従業員、場合によっては顧客など、複数のあらゆる評価者によって評価する人事考課のことである。あらゆる観点から総合的に評価するというものではない。

ウ　○：正しい。ハロー効果は心理的な誤差によって生じるため、考課者側からの視点だけでなく、自己申告制度によって被考課者の視点を入れたり、考課者自身のスキルを向上させる考課者訓練などを実施したりすることが有効である。

エ　○：正しい。目標管理制度は従業員ごとに目標を設定し、その達成度を評価していく人事評価制度であるが、個人の目標であっても組織全体としての目標との整合性を取ることは大切になる一方、従業員が自主的にその目標達成に向かっていくには、目標の内容やそれを達成する方法などに本人の自主性があることが重要になる。

オ　○：正しい。人事考課には大きく、情意評価、能力評価、業績評価がある。業績評価は仕事の成果を対象にしているが、たとえば事務的な業務など、職務によっては目に見える成果に表れにくいものもある。そのため、評価の基準に仕事に対する姿勢を対象にする情意評価、これまでの経験や能力を対象にする能力評価を加えることによって、顕在化した成果以外の面も含めた評価を行うことが可能になる。

正解　▶ イ

問題69 賃金制度

1 ／ 2 ／ 3 ／

賃金制度に関する記述として、最も適切なものはどれか。

ア 基本給に職能給を導入した場合、業務内容が異なる部門への人事異動でも給与が下がらないというメリットがある。

イ 基本給が職務給である場合、社内では育成できない専門人材を外部から採用する際に魅力的な労働条件を提示できない。

ウ ベースアップは年齢や勤続年数を経ることによって自動的に昇給することである。

エ 株価は企業業績と必ず連動するため、ストックオプションを付与することによって従業員の業績への貢献意欲を高めることができる。

解説

スピテキLink▶　2編3章1節2項、4節2・3・4項

賃金制度に関する問題である。

ア ○：正しい。基本給に職能給を導入した場合、配置転換によって給与（基本給）は下がらない。一般的に職能資格制度では、全社一律の職能要件が設定されており、賃金は職務ではなく資格で決められているので、配置転換によって給与が下がらないというメリットがある。

イ ×：選択肢の記述は主に職能給に関する内容である。職能資格制度（職能給）はあくまでも企業内労働市場における人材育成を促進し、そこでストックされた能力の値づけを行うための人事制度である。よって社内では育成できない専門人材を外部労働市場から調達する際に、とくに金融デリバティブの専門家のようにその値づけが外部労働市場でなされている場合は、魅力的な労働条件を提示することができない。

ウ ×：選択肢の記述は定期昇給のうちの自動昇給である。ベースアップとは、賃金曲線（昇給曲線ともいい、通常は年齢に応じて昇給するので右上がりの曲線を描く）上の昇給（定期昇給や昇格昇給）ではなく、賃金曲線そのものを上に移動させ、賃金表を書き換える昇給のことである。消費者物価の上昇や初任給の上昇などに応じて実施される。

エ ×：投資家のさまざまな思惑が反映されるため、必ずしも株価は企業業績と連動するわけではない。よって努力によって企業業績が向上しても必ずしも株価が上昇するわけではなく、この場合ストックオプションを付与された者のモラールが低下する可能性がある。

正解 ▶ ア

問題 70 能力開発（OJT）

1 ／ 2 ／ 3 ／

能力開発の代表的な例としては、OJT（On the Job Training）、Off-JT（Off the Job Training）、自己啓発がある。このうち、OJTに関する説明として最も不適切なものはどれか。

ア 従業員の個性や能力、実情に即した指導が可能となる。
イ 相対的にコストが安い。
ウ 上司や先輩の知識や経験の影響を受けやすい。
エ 教育が短期志向的になりやすい。
オ 知識や技術を体系的に習得できる。

解説

スピテキLink▶　2編3章5節2項

POINT 能力開発の中心は、OJT（On the Job Training）であるが、近年の急速な外部環境の変化の中、OJTのみの能力開発では限界があり、それを補強するOff-JT（Off the Job Training）や自己啓発の重要性が高まっている。

3章

ア　○：正しい。選択肢の記述は、OJTに関する内容（メリット）である。
イ　○：正しい。選択肢の記述は、OJTに関する内容（メリット）である。
ウ　○：正しい。選択肢の記述は、OJTに関する内容（デメリット）である。
エ　○：正しい。選択肢の記述は、OJTに関する内容（デメリット）である。
オ　×：選択肢の記述は、Off-JTに関する内容（メリット）である。Off-JTは、OJTでは困難である「知識や技術の体系的な習得」を目的に実施される。

正解　▶ オ

問題71　人的資源管理全般

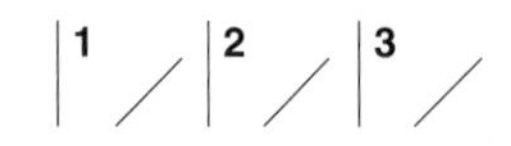

人的資源管理全般に関する記述として、最も適切なものはどれか。

ア　成果主義型賃金制度を採用することは、人件費負担が過大になることが懸念されるが、年功的な要素を削減し、従業員の意欲を高める点において有効性が高い。

イ　ジョブローテーションは、複数の職務を経験させることによって専門能力の高い人材を計画的に育成するために有効であり、CDPの一環としても行われる。

ウ　目標管理制度は、命令統一性の原則に沿って上席者が部下の職務遂行手段を明確化できることと、コミュニケーションが活性化することの両面において有効性が高い。

エ　ストックオプション制度を導入することによって、従業員は市場で購入した自社の株式をあらかじめ定められた価格で自社に売却し、キャピタルゲインを得ることが可能になる。

オ　OJTによる能力開発は、比較的短い時間で個々の従業員に合わせた教育が行いやすいが、体系的な技術の習得は行いにくくなる。

解説　スピテキLink▶　2編3章1節3項、2節2項、3節2項、4節4項、5節2項

人的資源管理全般に関する問題である。

ア　×：成果主義型賃金制度は、賃金や賞与、昇格などについて、仕事の成果をもとに決定する考え方である。成果や企業全体としての業績などに応じて人件費が変動するため、成果が上がっていない場合には人件費負担を抑制することができる。よって、人件費負担が過大になることが懸念される制度ではない。年功的な要素を削減し、従業員の意欲を高める点において有効性が高いというのは正しい。

イ　×：ジョブローテーションは複数の職務を経験させることであるため、専門能力の高い（特定の業務に秀でた）人材を育成できるものではない。CDP（キャリア開発制度）の一環として行われるというのは正しい。

ウ　×：目標管理制度を実施する際には、決定された目標の達成方法は極力、本人の創意に任せることが大切になるため、命令統一性の原則に沿って上席者が部下の職務遂行手段を明確化できるわけではない。また、通常は面接制度も同時に導入し、部下の目標について上席者との共有を図ることになるため、このような行為を通して（上席者と部下の）コミュニケーションが活性化するというのは正しい。

エ　×：ストックオプション制度は、あらかじめ定められた価格で会社が発行する株式（新株）を買い取り、それを市場で売却することによって、キャピタルゲインを得ることができるものである。

オ　○：正しい。OJTは、上司や技術に秀でた人物が実際の業務を行いながら部下などに指導を行うものであるため、部下の状況に応じて、業務に直結した具体的な教育を比較的短い時間で行うことが可能になる。また、教える側の経験などによって教育の内容や効果が変動するため、体系的な技術の習得は行いにくくなる。

正解 ▶ オ

問題72 労働契約と就業規則

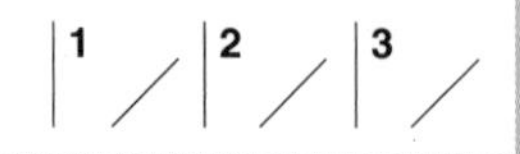

労働契約や就業規則に関する記述として、最も適切なものはどれか。

ア 使用者は、満60歳以上の労働者との間に、契約期間が5年以内の労働契約を締結することができる。

イ 労働基準法で定める基準に達しない労働条件を定める労働契約は、その契約の全部について無効となる。

ウ 常時10人以上の労働者を使用する使用者は、退職手当に関する事項を就業規則に必ず記載しなければならない。

エ 使用者は、就業規則の作成または変更について、当該事業場に労働者の過半数で組織する労働組合がある場合においてはその労働組合、労働者の過半数で組織する労働組合がない場合においては労働者の過半数を代表する者の同意を得なければならない。

解説

スピテキLink▶　2編3章6節1項

労働契約および就業規則に関する問題である。

ア　○：正しい。契約期間を定める場合、一定の事業の完了に必要な期間を定めるもののほかは、最長期間は3年とされているが、次の①、②のいずれかに該当する場合は最長5年の労働契約が認められている。

① 専門的な知識、技術または経験であって、高度のものとして厚生労働大臣が定める基準に該当する専門的知識等を有する労働者（当該高度の専門的知識等を必要とする業務に就く者に限る）

② 満60歳以上の労働者

イ　×：労働基準法で定める基準に達しない労働条件を定める労働契約は、その部分については無効となる（基準に達している部分は有効である）。この場合において、無効となった部分は、労働基準法で定める基準が適用される。

ウ　×：常時10人以上の労働者を使用する使用者は、就業規則を作成し、所轄労働基準監督署長に届け出なければならない。就業規則の作成においては、必ず記載しなければならない事項（絶対的必要記載事項）と、定めがあるときは記載しなければならない事項（相対的必要記載事項）がある。本肢の「退職手当に関する事項」は相対的必要記載事項であるため、就業規則に必ずしも記載しなくてもよい。なお、「退職に関する事項（解雇の事由を含む）」は絶対的必要記載事項であり、就業規則に必ず記載しなければならない。

エ　×：使用者は、就業規則の作成または変更について、当該事業場に労働者の過半数で組織する労働組合がある場合においてはその労働組合、労働者の過半数で組織する労働組合がない場合においては労働者の過半数を代表する者の意見を聴かなければならないが、同意を得る必要はない。

正解 ▶ ア

問題73 労働時間

1／ 2／ 3／

労働基準法における労働時間の定めに関する記述として、最も不適切なものはどれか。

ア 原則として、使用者は、労働者に、１週間について40時間（休憩時間を含む）を超えて、労働させてはならない。

イ 使用者は、フレックスタイム制を採用しようとするときは、始業および終業の時刻の両方を労働者の決定に委ねなければならない。

ウ 臨時的に限度時間を超えて労働させる必要がある場合であっても、１か月について労働時間を延長して労働させることができる時間は、休日労働時間を含めて100時間未満でなければならない。

エ 労働基準法第41条に規定する監督もしくは管理の地位にある者は、労働時間、休憩および休日に関する規定は適用されない。

解説

スピテキLink▶　2編3章6節1項

労働基準法における労働時間の定めに関する問題である。

ア　×：原則として、使用者は、労働者に、休憩時間を除いて1週間について40時間を超えて、労働させてはならない。労働時間は、原則として休憩時間を含めないことに注意したい。

イ　○：正しい。使用者は、フレックスタイム制を採用しようとするときは、始業および終業の時刻の両方を労働者の決定に委ねなければならない（始業または終業の時刻の一方を労働者の決定に委ねるのでは足りないとされている）。

ウ　○：正しい。時間外、休日労働の限度時間等については以下の表のとおりである。

	原則	臨時的に限度時間を超えて労働させる必要がある場合
1か月	45時間（42時間※）以内	100時間未満（休日労働時間含む）
1年	360時間（320時間※）以内	720時間以内

※対象期間3か月超の1年単位の変形労働時間制が適用される場合

エ　○：正しい。次の労働者は労働基準法の労働時間、休憩および休日に関する規定は適用されない。

① 農業、水産・畜産業に従事する者

② 監督もしくは管理の地位にある者、機密の事務を取り扱う者

③ 監視または断続的労働に従事する者で、所轄労働基準監督署長の許可を受けたもの

正解 ▶ ア

問題74 解雇

1 ／ 2 ／ 3 ／

労働基準法における解雇の定めに関する記述として、最も適切なものはどれか。

ア 使用者は、労働者が業務上負傷した場合、療養のために休業する期間およびその後10日間は、解雇してはならない。

イ 使用者は、業務上負傷した労働者が療養のために休業する期間であっても、打切補償を支払う場合、解雇することができる。

ウ 使用者は、労働者を解雇する場合においては、少なくとも２週間前にその予告をしなければならず、２週間前に予告をしない使用者は、２週間分以上の解雇予告手当を支払わなければならない。

エ 使用者は、試の使用期間中の者を解雇する場合であっても、その労働者が２か月間を超えて引き続き使用されるに至ったときは、解雇予告の規定が適用される。

解説

スピテキLink▶　2編3章6節1項

労働基準法における解雇の定めに関する問題である。

ア　×：解雇制限がかかる期間は以下のとおりである。

① 労働者が業務上負傷し、または疾病にかかり療養のために休業する期間およびその後30日間

② 産前産後の女性が休業する期間（原則として出産予定日以前6週間および出産当日の翌日から8週間）およびその後30日間

イ　○：正しい。解雇制限の規定が適用されないのは以下の場合である。

① 使用者が打切補償を支払う場合

② 天災事変その他やむを得ない事由のために事業の継続が不可能となった場合（所轄労働基準監督署長の認定が必要）

ウ　×：使用者は、労働者を解雇する場合においては、少なくとも30日前にその予告をしなければならない。30日前に予告をしない使用者は、30日分以上の解雇予告手当を支払わなければならない。

エ　×：使用者は、試の使用期間中の者を解雇する場合であっても、その労働者が14日間を超えて引き続き使用されるに至ったときは、解雇予告の規定が適用される。

正解 ▶ イ

問題 75 賃金

1 ／ 2 ／ 3 ／

労働基準法における賃金の定めに関する記述として、最も適切なものはどれか。

ア 賃金は、通貨で支払わなければならないが、労使協定があれば、労働者本人の同意がなくても電子マネーで支払うことが認められる。

イ 賃金は、その全額を支払わなければならないため、賃金から社会保険料を控除するためには労使協定が必要である。

ウ 賃金は、直接労働者に支払わなければならないため、労働者の委任を受けた任意代理人に支払うことは認められない。

エ 賃金は、毎月１回以上、一定の期日を定めて支払わなければならないため、月給について月の末日のように特定しない定めをすることは認められない。

解説

スピテキLink▶ 2編3章6節1項

労働基準法における賃金の定めに関する問題である。

ア ×：賃金は、通貨で支払わなければならないことは正しい。しかし、令和5年4月1日より、賃金を電子マネーで支払うこと（いわゆる賃金のデジタル払い）が認められるようになったが、労使協定を結ぶことに加え、労働者本人の同意などが必要である。

イ ×：賃金は、その全額を支払わなければならないことは正しい。しかし、法令に別段の定めがある所得税等の源泉徴収や社会保険料の控除は認められており、この場合に労使協定は必要ではない。

ウ ○：正しい。賃金は、直接労働者に支払わなければならないため、労働者の委任を受けた任意代理人（法律効果を依頼人に帰属させる人）に支払うことは認められない。

エ ×：賃金は、毎月1回以上、一定の期日を定めて支払わなければならないことは正しい。しかし、必ずしも暦日を指定する必要はないため、月給について月の末日とすることは差し支えない。

正解 ▶ ウ

問題76　不当労働行為

1 ／　2 ／　3 ／

使用者が労働者の労働組合運動を妨害する行為を不当労働行為という。次のうち、不当労働行為に該当しないものはどれか。

ア　労働者が労働組合の正当な活動をしたことを理由として、不利益な取扱い（減俸、昇給停止など）をすること。

イ　使用者が、雇用する労働者の代表者と団体交渉することを正当な理由がなく拒むこと。

ウ　使用者が労働者に指示して労働組合を結成させ、管理すること。

エ　使用者が労働組合運営のための経費の支払いにつき、最小限の広さの事務所を供与するといった経理上の援助を与えること。

解説

スピテキLink▶ 2編3章6節2項

不当労働行為とは、労働組合運動に対する使用者の妨害行為のことで、「不利益な取扱い」「黄犬契約の締結」「団体交渉拒否」「支配介入」「経理上の援助」がある。

ア ○：正しい。労働者が労働組合の正当な活動をしたことなどを理由として、使用者が不利益な取扱い（減俸、昇給停止など）をすることは不当労働行為とされている。

イ ○：正しい。使用者が雇用する労働者の代表者と団体交渉することを正当な理由なく拒むことは、不当労働行為とされている。

ウ ○：正しい。使用者が労働組合を結成し、その運営を支配し、介入することは不当労働行為とされている。選択肢の内容はこれに該当する。

エ ×：使用者が労働組合運営のための経費の支払いにつき、経理上の援助を与えることは、不当労働行為とされている。ただし、「最小限の広さの事務所の供与」などについては、例外的に不当労働行為とはならない。

正解 ▶ エ

問題77 労働安全衛生法および労働者災害補償保険法

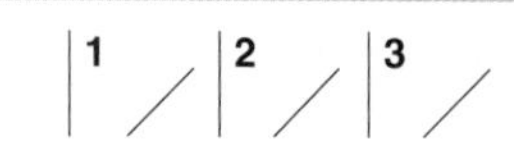

労働災害を防止するために労働安全衛生法が、労働災害が生じた際の保険給付を行うために労働者災害補償保険法がそれぞれ施行されているが、労働安全衛生法および労働者災害補償保険法に関する記述として、最も不適切なものはどれか。

ア 常時50人以上の労働者を使用する事業場では、業種を問わず、産業医および衛生管理者のいずれも選任しなければならない。

イ 総括安全衛生管理者は、労働者の健康診断を指揮しなければならない。

ウ 原則として、労働者を１人でも使用すれば、たとえその労働者が不法就労の外国人労働者であっても、労働者災害補償保険の保険関係は成立する。

エ 労働者災害補償保険法では、業務災害のみならず通勤災害も保険給付の対象としている。

解説

スピテキLink▶　2編3章6節3・4項

POINT

労働安全衛生法および労働者災害補償保険法に関する問題である。

労働安全衛生法の目的は、労働災害を防止し、労働者の安全と健康の確保や快適な職場環境の形成を促進することである。

労働者災害補償保険法の目的は、業務災害や通勤災害などの補償を行うことである。

ア　○：正しい。産業医と衛生管理者は、業種を問わず、常時50人以上の労働者を使用する事業場で選任義務が生じる。

イ　×：総括安全衛生管理者は、安全管理者や衛生管理者を指揮し、事業場の安全衛生に関する業務を統括管理する者であるが、健康診断を指揮する者ではない。そもそも総括安全衛生管理者は、一定規模以上の事業場で選任義務が生じるため、総括安全衛生管理者がいない事業場も存在する。仮に総括安全衛生管理者が健康診断を指揮する者であるとすると、総括安全衛生管理者が存在しない事業場では健康診断を行うことができなくなる。

ウ　○：正しい。労働者災害補償保険（労災保険）の保険関係は、原則として労働者を１人でも使用すれば成立する。たとえその労働者が不法就労の外国人労働者であっても、労働者であることには変わらないため、労災保険の保険関係は成立する。

エ　○：正しい。労働者災害補償保険法は、「業務災害の補償（保険給付）」、「通勤災害の補償（保険給付）」、「社会復帰促進等事業の実施」を目的としている。

正解　▶ イ

問題 78　男女雇用機会均等法

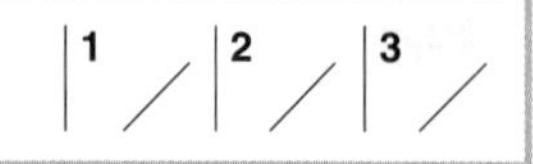

男女雇用機会均等法に関する記述のうち、同法の違反とならないものはどれか。

ア　「技術スタッフ（男性５名、女性５名）」として、男女別の人数をあらかじめ設定して募集する。

イ　受付への配置にあたり、女性のみとする。

ウ　男性40名、女性５名の職場の募集にあたって、女性に有利な取扱いをする。

エ　経理事務の採用にあたり、男性は筆記試験と面接、女性は面接のみとする。

オ　独身寮は男子用のみとする。

解説

スピテキLink▶ 2編3章6節6項

男女雇用機会均等法は、雇用の分野における男女の均等な機会および待遇の確保を目的として制定されている。ただし、ポジティブアクションや職業、業務上の例外規定がある。

ア ×：男女の人数をあらかじめ設定し、明示して募集すること自体が違法である。本肢の場合、「技術スタッフ10名」とするのが適切である。

イ ×：男性のみを配置の対象としたり、逆に女性のみを対象とすることは違法である。配置は性別ではなく、適性や能力で判断する。

ウ ○：正しい。違反とはならない。女性労働者を差別的に取り扱うとは、不利に取り扱うだけでなく、有利に取り扱うことも含まれるが、女性労働者が男性労働者と比較して相当程度少ない場合（具体的には4割を下回っている場合）に、男女の格差が生じている状況を改善するために暫定的、一時的に、女性のみを対象とした措置または女性を有利に取り扱うことが認められている（ポジティブアクション）。本肢の内容はこの例に該当する。

エ ×：採用試験について性別で異なる扱いをすることは違法である。この場合、男女同一の条件で実施するのが適切な対応である。

オ ×：福利厚生に関する差別は禁止されている。この場合、新たに女子寮を建設する、男子寮や世帯主宿舎に女性を入居させるといった対応が適切である。

正解 ▶ ウ

問題79 労働関連法規全般

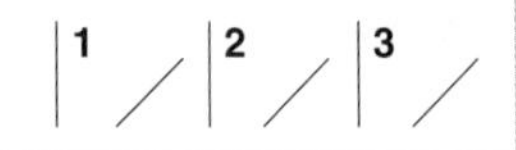

甲は創業を希望している。甲が事業を開始した場合において遵守すべき労働関連法規に関する記述として、最も適切なものはどれか。

ア 甲は、男女雇用機会均等法に基づき、職場においてセクシャルハラスメントが発生しないよう、雇用管理上の措置を講じるよう努める必要がある。

イ 原則として、甲が労働者を１人でも雇って事業を開始すると、労災保険（労働者災害補償保険）および雇用保険の適用事業所となる。

ウ 甲が開始した事業が製造業の場合、常時50人以上の労働者を使用すると労働安全衛生法上の産業医の選任義務が生じるが、小売業だった場合、常時50人以上の労働者を使用しても産業医の選任義務は生じない。

エ 甲が開始した事業場において労働組合が設立された場合、甲は、当該労働組合に加入した労働者に対して、労働基準法上の解雇手続をふめば、労働組合に加入したことを理由として解雇することができる。

解説

スピテキLink▶　2編3章6節

労働関連法規全般に関する問題である。

3章

ア　×：男女雇用機会均等法では、「事業主は、職場においてセクシャルハラスメントが発生しないよう、雇用管理上の措置を講じなければならない」と規定している。つまり、「努力義務」ではなく「義務」である。

イ　○：正しい。労働保険（労災保険および雇用保険）については、原則として労働者を1人でも雇うと適用事業所となる。なお、社会保険（健康保険および厚生年金保険）については法人と個人（個人事業者）で異なる。まず、法人の場合には、労働者の人数にかかわらず適用事業所となる。次に、個人の場合には、原則として労働者が5人以上いると適用事業所になるが、一部の業種では労働者の人数にかかわらず適用事業所とならないものもある。

ウ　×：労働安全衛生法上の産業医の選任義務は、その業種にかかわらず、常時50人以上の労働者を使用する事業場で生じる。

エ　×：労働組合に加入したことを理由とした解雇は労働組合法上の不当労働行為に該当するため、たとえ労働基準法上の解雇手続をふんだとしても、認められない。

正解　▶　イ

第3編
マーケティング

問題80 コトラーのマーケティングコンセプト

1 ／ 2 ／ 3 ／

コトラーのマーケティングコンセプトに関する記述として、最も適切なものはどれか。

ア マーケティング1.0は、効率的な生産体制によって製造コストを低減しつつ、潜在的な消費者に高価格で製品を販売することを目的とした製品中心のマーケティングである。

イ マーケティング2.0は、消費者を満足させ、つなぎ止めることを目的として、標的市場における消費者のニーズやウォンツに基づいた製品を開発する消費者中心のマーケティングである。

ウ マーケティング3.0は、消費者は世界をより良い場所にしたいという想いを有する存在であるとして、機能的価値を有する製品を提供する価値主導のマーケティングである。

エ マーケティング4.0は、ソーシャルメディアの爆発的な普及を踏まえ、オンラインによるデジタルの交流のみを重視したマーケティングである。

オ マーケティング5.0は、人間を模倣した技術を活用することと定義されており、人間よりも技術を重視したマーケティングである。

解説

スピテキLink▶　3編1章1節2項

POINT コトラーのマーケティングコンセプトに関する問題である。フィリップ・コトラーらのマーケティングコンセプトは、1.0〜5.0へと時代と共に変化している。

ア ×：マーケティング1.0が効率的な生産体制を構築することで生産コストを低減しつつ、潜在的な消費者に製品を販売することを目的としていることは正しい。マーケティング1.0が製品中心のマーケティングといわれているように、消費者にとって機能的価値を持つ製品をつくり出すことがコンセプトであり、その製品を、対象としているマス市場に向けて低価格で販売し、潜在的消費者に届けることになる。よって、高価格で販売するわけではない。

イ ○：正しい。マーケティング2.0は、消費者を、十分な情報をもち製品の比較を容易に行える存在であると考え、セグメンテーション、ターゲッティング、ポジショニング（STP）によってターゲティングし、そのターゲットセグメントのニーズやウォンツに基づいた差別化された製品を提供することで、消費者を満足させ、つなぎ止めることを目的にした消費者中心のマーケティングである。

ウ ×：マーケティング3.0が、消費者は世界をより良い場所にしたいという想いを有する存在であるとしていることは正しい。このような消費者は自身の中にある社会的、経済的、環境的公平さを重視し、機能的・感情的な充足に加え、精神の充足を求める欲求を持ち、この欲求に応える企業の製品を購入しようとすることを強調している。よって、「マーケティング3.0＝機能的価値を有する製品を提供する」ということではなく、機能的価値、感情的価値、精神的価値を提供するものである（特に、精神的価値の提供の重要性を強調しているコンセプトである）。

エ ×：マーケティング4.0は、ソーシャルメディアの爆発的な普及により、企業と消費者という縦の関係だけでなく、消費者同士の横の関係も重要になっているとするものである。これは、デジタル技術の進歩がもたらしたマーケティング慣行の変化である。一方で、デジタルの交流だけでは不十分であり、オフラインの触れ合いも重要な要素になるとしている。よって、デジタルの交流のみを重視したマーケティングではない。

オ　×：マーケティング5.0が、人間を模倣した技術を活用することと定義されていることは正しい。人間を模倣した技術とはAI、拡張現実(AR)、仮想現実（VR)、IoTなどを含み、ネクスト・テクノロジーと称されるものであるが、これらネクスト・テクノロジーと人間がそれぞれの特徴を活かして価値を提供することの重要性が示されている。一方で、依然として人間がマーケティング5.0の中心であるべきであるともしている。よって、人間よりも技術を重視したマーケティングではない。

正解　▶ イ

Memo

問題81 ソーシャルマーケティング

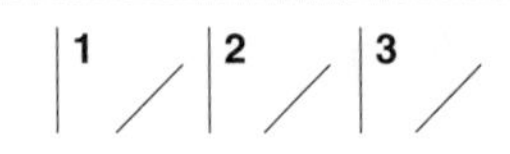

ソーシャルマーケティングに関する記述として、最も適切なものはどれか。

ア 企業のニーズと消費者のニーズからマーケティングコンセプトを考えた場合、消費者の現在のニーズと企業の将来的なニーズを組み合わせたコンセプトを、サステイナブル・マーケティング志向という。

イ コーズ・リレーテッド・マーケティングは、製品やサービスに対する対価とは別に、購入者から企業が実施する慈善事業の原資を募り、消費者の自己実現欲求を満たすものである。

ウ 現在では、マーケティング手法の活用は営利企業だけに留まらず、政府や学校、病院といった非営利組織でも活用するソサイエタルマーケティングが行われるようになっている。

エ 「啓発された自己利益」とは、企業のCSR活動が企業イメージの向上を通じたブランドへの愛着を生み出すといった、間接的・長期的な関係的報酬である。

解説

スピテキLink▶　3編1章1節3項

POINT ソーシャルマーケティングに関する問題である。マーケティングと社会のかかわりを扱うものを広義のソーシャルマーケティングといい、具体的には「非営利組織のマーケティング」「アイデア・社会的主張を対象とするマーケティング」「ソサイエタルマーケティング」などがある。

ア　×：企業の現在のニーズと将来のニーズ、消費者の現在のニーズと将来のニーズを考えた場合に、企業の将来的なニーズと、消費者の将来的なニーズを満たすマーケティングコンセプトをサステイナブル・マーケティング志向という。

<マーケティング志向>

		企業のニーズ 現在	企業のニーズ 将来
消費者のニーズ	現在	マーケティング志向	戦略計画志向
	将来	ソサイエタル・マーケティング志向	サステイナブル・マーケティング志向

出所：コトラー他（2014）、p.374、図15.1を一部修正

（『マーケティング論』芳賀康浩　平木いくみ著　一般財団法人放送大学教育振興会　p.240）

イ　×：コーズ・リレーテッド・マーケティングは、製品やサービスに対する対価の一定割合を、事前に定められた目的のために寄付することを通して社会貢献するマーケティング活動である。よって、対価とは別に、購入者から企業が実施する慈善事業の原資を募るわけではない。消費者にとっては、自らが社会に貢献していることを感じることができるため、自己実現欲求を満たすものであることは正しい。

ウ　×：現在では、マーケティング手法の活用は営利企業だけに留まらず、政府や学校、病院といった非営利組織でも活用するようになっていることは正しい。このように、マーケティングの考え方や手法を非

営利組織にも適用したものを「非営利組織のマーケティング」という。しかしながら、ソサイエタルマーケティングとは、企業が利潤の増大だけでなく、社会全体に与える影響を考慮するというマーケティング活動のことであり、非営利組織のマーケティングと区別するために登場した概念である。

エ ○：正しい。「啓発された自己利益（enlightened self-interest）」とは、企業が社会貢献を行うことは、直接的な利益にはつながらないが、長期的あるいは間接的に企業にとって利益になるという考え方（経済団体連合会1994）である。つまり、消費者が購買することによる直接的・短期的な取引的報酬ではなく、企業のCSR活動による企業イメージの向上を通じたブランドへの愛着といった間接的・長期的な関係的報酬である。

正解 ▶ エ

Memo

問題82 市場細分化

1 ／ 2 ／ 3 ／

有効なマーケティング戦略を策定し、実行するためには市場細分化を行う必要がある。市場細分化に関する説明として、最も適切なものはどれか。

ア　市場細分化軸にサイコグラフィック基準を用いる場合、国勢調査をはじめとするさまざまな刊行データを利用するとよい。

イ　ターゲット市場を設定する際に用いる市場細分化の基準は１つでなければならない。

ウ　ターゲットとなる市場セグメントは、有効なマーケティング施策が実行可能なものでなければならないが、その購買力を測定できる必要はない。

エ　市場細分化の軸にベネフィットを用いる場合、消費者が当該製品やサービスに対し、主としてどのような要素を強く求めるのかによって市場の細分化を行い、商品コンセプトに反映させる。

オ　今日では同じ社会階層に属していても、消費者の購買行動は多様化しており、人口統計的基準による市場細分化の必要性が高まっている。

解説

スピテキLink▶　3編2章3節2項

市場細分化に関する問題である。

ア　×：「国勢調査をはじめとするさまざまな刊行データを利用するとよい」のは、デモグラフィック基準を用いる場合である。市場細分化軸に用いる基準は大きく、デモグラフィック基準（ジオグラフィック基準を含む）とサイコグラフィック基準（ベネフィット基準を含む）に分かれる。前者は客観データであり、刊行データを利用することができるのに対し、後者は主観的なレスポンスを基本にしたものであり、主に消費者調査を行わなければならないデータである。

イ　×：必要以上に多くの基準を用いるのも好ましくないが、必要に応じていくつかの基準を組み合わせて市場細分化をすることが望ましい。特に生産財市場の場合は、一般的に複数の基準を用いる場合が多い。よって、1つでなければならないということはない。

ウ　×：ターゲットとなる市場セグメントの市場規模と購買力を容易に測定できることは市場細分化の要件である（測定可能性）。

エ　○：正しい。ベネフィットは行動変数基準のひとつであり、消費者がその商品に求める価値やそれを使用することで得られる便益のことである。

オ　×：今日では同じ社会階層内でも、異なったニーズ、異なった購買行動が見られ、また異なった社会階層を超えて似たような購買行動が見られるようになっている。たとえば、高額所得者が高級車でディスカウントストアに行くといったケースである。よって、人口統計的基準の市場細分化実行における有効性が急激に低下しており、代ってライフスタイルによる市場細分化の重要性が高まっている。

正解　▶ エ

問題83 ターゲットマーケティング

1 ／ 2 ／ 3 ／

ターゲットマーケティングに関する記述として、最も適切なものはどれか。

ア　市場細分化の際に、年齢や性別などの変数を用いることを、ジオグラフィック基準による市場細分化という。

イ　細分化された特定の市場において、消費者ニーズの同質性が高い場合にはさらなる細分化が有効になる。

ウ　コトラーの標的市場設定パターンによる差別化とは、細分化された市場ごとに、ニーズに適合した製品を投入するものであり、個別ニーズへの対応による全体の売上増や、製造コストやマーケティングコストの低減などのメリットがある。

エ　エーベルの標的市場設定パターンによる選択的専門型では、同じ製品を複数の市場に展開することとなる。

オ　ポジショニングマップには競合他社製品との対比と自社製品間での対比の側面があり、自社製品間でポジショニングが重なっている現象はカニバリゼーションとよばれ、ポジションの再設定が必要になる可能性が高くなる。

解説

スピテキLink▶　３編２章３節１～４項

POINT ターゲットマーケティングに関する問題である。ターゲットマーケティングとは、市場を細分化し、その細分化された市場の中で最も適切な市場を標的として、その標的に対して最も効果的なマーケティング手法を投入していく方法のことである。

ア　×：市場細分化の際に、年齢や性別などの変数を用いることを、デモグラフィック基準（人口統計的基準）による市場細分化という。ジオグラフィック基準（地理的基準）とは、地域や気候、人口密度などの変数を用いた市場細分化基準であるという。

イ　×：消費者ニーズの同質性が高い場合とは、消費者が同じようなニーズを有しているということである。細分化された特定の市場において同じようなニーズを有している消費者が存在するのであれば、企業が行うマーケティングアクションはその特定の市場内の多くの消費者に効果的に作用することが期待される。したがって、さらなる細分化の必要性は低い。

ウ　×：コトラーは、標的市場の設定パターンとして無差別型、差別型、集中型の３つを挙げており、細分化された市場ごとに、ニーズに適合した製品を投入することが差別型であることは正しい。差別型を採用することにより、個別ニーズへの対応による全体の売上増が期待されるが、多様なニーズに対応するために製造コストやマーケティングコストが増加してしまうデメリットがある。

エ　×：エーベルの標的市場設定パターンにおいて、同じ製品を複数の市場に展開する標的市場の設定は製品専門型である。選択的専門型は、複数の市場に対し、それぞれの市場に応じた製品を展開していくことである。

オ　○：正しい。ポジショニングマップは、消費者が意識する製品に対する感覚上の位置づけを２軸で表したもので、他社製品をマッピングすることで自社製品にとっての経済的なポジションを探ることができる。また、複数の自社製品をマップ上に示すことで、自社製品間の市場における棲み分けも確認することができる。仮に、複数の自社製品のポジションの一部もしくは全部が重なっている場合、自社製品間で顧客の奪い合いが発生する可能性がある。このような現象をカニバリゼーションという。

正解　▶ オ

問題84 ターゲットマーケティング

1 ／ 2 ／ 3 ／

ターゲットマーケティングに関する記述として、最も適切なものはどれか。

ア　市場細分化によって、ターゲットセグメントを限定することは、競合企業に対して正面から挑戦していくことになるが、自社の経営資源の活用効率が高まる。

イ　市場細分化されたセグメント内において、同質性が高まってきた場合には、さらなる細分化の必要性が生じることになる。

ウ　市場専門型の標的市場設定を行った場合には、提供する製品を限定することになるため、幅広いニーズへの対応はしにくくなる。

エ　ブルーオーシャンを狙うポジショニングは、対象とする市場規模は大きいものの、カニバリゼーションが生じるリスクが高まることになる。

オ　差別型の標的市場設定を行う場合、細分化されたセグメントごとのニーズへの適合性が高まる。

解説

スピテキLink▶　3編2章3節1～4項

ターゲットマーケティングに関する問題である。

ア　×：市場細分化によってターゲットセグメントを限定することは、競合企業との必要以上の競争を回避することにつながる（競合企業に対して正面から挑戦していくことを回避することになる）。自社にとってより適合性の高いセグメントを対象とすることになるため、自社の経営資源の活用効率が高まることは正しい。

イ　×：市場細分化されたセグメント内において、同質性が高いのであれば、さらに細分化する必要性がない（仮に2つに分けてもその2つは同じ特性を有している）。セグメント内の異質性が高まってきた場合に、さらなる細分化の必要性が生じることになる。

ウ　×：市場専門型の標的市場設定とは、特定の市場（ターゲットセグメント）を対象に、幅広い製品を提供することでその市場のニーズを満たしていくものである。

エ　×：ブルーオーシャンを狙うポジショニングとは、未開拓の市場を狙うということである。つまり、自社を含めて業界企業がまだ対象としていない領域である。そのため、まだ少なくともその時点においては、市場が形成されていないことになる（市場規模が大きくなるポテンシャルを秘めている可能性はあるが、少なくとも標的市場設定の段階では市場規模は大きくない）。また、カニバリゼーションとは、自社製品同士で市場を奪い合う現象であるが、そもそも市場が形成されていない領域であり、自社製品を投入するのも初めてである。よって、少なくともこの時点（ブルーオーシャンを狙うポジショニングをしようとする時点）では、このリスクが高いということはない。

オ　○：正しい。差別型の標的市場設定とは、細分化されたいくつかの市場に対し、それぞれのニーズに適合したマーケティングミックスを構築して投入するものである。よって、細分化されたセグメントごとのニーズへの適合性が高い標的市場設定である。

正解 ▶ オ

問題 85　ターゲットマーケティング

1 ／ 2 ／ 3 ／

次の文章を読んで、下記の設問に答えよ。

消費者の価値観や嗜好が多様化している昨今においては、従来のマスマーケティングでは消費者の個々のニーズに適合することが困難になっている。よって、自社にとって適したターゲットにマーケティング活動を実施するために、①市場を何らかの基準で細分化していくことが必要になる。そのうえで、自社の経営資源やすでに展開している製品ライン、あるいは競合他社の動向といったあらゆる要素に応じて、②細分化された市場セグメントのどこに対してマーケティング活動を行っていくかを決定していくことになる。

設問 1　市場細分化

文中の下線部①に関する記述として、最も不適切なものはどれか。

ア　ジオグラフィック基準とは、人口統計的な基準を用いるものであり、年齢、性別、所得、職業、学歴、宗教、国籍などの基準により市場を細分化する。

イ　市場細分化を通じた競争は、競争相手との正面衝突を回避する性格をもつ。

ウ　サイコグラフィック基準による市場細分化は、消費者の主観的なレスポンスを基本としたものであるため、市場の成熟化が進んで消費者の嗜好が多様化するほど、有用性が高くなる。

エ　市場細分化の基準を多く用いると、その対象市場セグメントの市場規模が不採算になるほど小さくなり、十分な利益が得られない可能性がある。

オ　ワントゥワンマーケティングを効果的に行うためには、自社の製品に対するベネフィットや使用率といった行動変数により、優良顧客を区分することが有効である。

設問 2　市場ターゲティングと市場ポジショニング

文中の下線部②に関する記述として、最も適切なものはどれか。

ア　差別型マーケティングでは、セグメントごとに最適なマーケティングミックスを投入していくため、少ないコストで多くの売上を上げることができる。

イ　集中型マーケティングは、特定のセグメントに経営資源を投入・有効活用するため、市場環境の変化に対応しやすい。

ウ　特定市場における複数のニーズに総合的に対応するアプローチを選択的専門型という。

エ　知覚マップ上で近くに位置する製品どうしは、代替的な特性を有している可能性が高い。

オ　知覚マップを作成することによって、競合製品との競争回避に役立てることができるが、自社製品間のカニバリゼーションを回避することができない。

解説

スピテキLink▶　3編2章3節1～4項

ターゲットマーケティングに関する問題である。

設問 1

ア　×：選択肢の記述はデモグラフィック基準に関するものである。ジオグラフィック基準とは、地理的な基準を用いるものであり、地域や気候、人口密度などにより市場を細分化する。なお、ジオグラフィック基準とデモグラフィック基準をまとめてデモグラフィック基準とする場合もある。

イ　○：正しい。市場細分化によって、自社に有利な市場を選択し、競争相手と競合しないようなポジショニングが可能となる。

ウ　○：正しい。市場の成熟化が進むほど消費者の嗜好が多様化するため、年齢や性別など従来型の人口動態変数的なデモグラフィック基準よりも、消費者の価値観やライフスタイルなどの心理的な側面に焦点を当てるサイコグラフィック基準による市場細分化の有用性が高まる。

エ　○：正しい。市場細分化は、必要に応じて複数の基準を組み合わせて行うことが望ましい。ただし、必要以上に多くの基準を用いると、その対象市場セグメントの市場規模が不採算になってしまい、市場細分化の一要件である維持可能性に懸念が生じる。

オ　○：正しい。ワントゥワンマーケティング（個別対応）は顧客ごとに対応を変える（顧客を個としてとらえる）ことから、顧客を集合体としてとらえる市場細分化と対比することができるが、個別対応の対象とすべき優良顧客は、市場細分化基準のひとつである「自社の製品に対するベネフィットや使用率」といった行動変数による細分化によってとらえることが可能になる。

正解 ▶ ア

設問 2

ア ×：差別型マーケティングがセグメントごとに最適なマーケティングミックスを投入していくため、全体として多くの売上を上げることができるというのは正しい。しかしながら、セグメントごとに異なる製品を開発したり、プロモーションを実施したりする必要があるため、多くのコストがかかることになる。

イ ×：集中型マーケティングは、特定のセグメントに経営資源を投入・有効活用できる点は正しいが、そのセグメントに固執しすぎると、そのセグメントの顧客ニーズが変わるといった、市場環境の変化に対応しにくいというリスクを内包している。

ウ ×：特定市場における複数のニーズに総合的に対応するアプローチを市場専門型という。選択的専門型とは、複数の市場に対して、それぞれの市場のニーズに合わせて異なる製品を提供するアプローチをいう。

エ ○：正しい。知覚マップ上で近くに位置するということは、その製品同士が類似した特徴を有しているということであるため、消費者にとっては代替的な位置づけになる可能性が高くなる。

オ ×：知覚マップを作成することによって、競合製品とは異なるポジションに自社製品を位置づけることができ、競争が回避しやすくなる。また、自社製品間における差異も明確になるため、自社製品のカニバリゼーションを回避することにも役立てることができる。

正解 ▶ エ

問題86　マーケティングリサーチ

1 ／ 2 ／ 3 ／

マーケティングリサーチに関する記述として、最も不適切なものはどれか。

ア　マーケティングリサーチにおける2次データは、自社のマーケティング課題の解決のために新たに収集されたデータであり、比較的低コストで収集時間が短いという特徴がある。

イ　インタビュアーと被験者が1対1で対面し、より多くの時間をかけて聞き取りを行う方法をデプス・インタビューという。

ウ　調査対象者の行動や反応を観察することによって情報を収集する方法である観察法において、観察者は必ずしも人間とは限らず機械の場合もある。

エ　エスノグラフィーによる調査は、調査対象者自身が気づいておらず、質問法では把握できないような特性の理解に役立つ。

オ　モチベーションリサーチは、テキストマイニングによって客観性のある情報収集が可能になったことで、手法としての有用性が高まっている。

解説

スピテキLink▶　3編3章

POINT マーケティングリサーチに関する問題である。マーケティングに使用するデータは、1次データと2次データに分けられる。また1次データの収集方法には質問法や観察法、実験法などがある。

ア ×：マーケティングリサーチにおける2次データは、他の目的のためにすでに収集・加工されたデータである。よって、自社のマーケティング課題の解決のために新たに収集されたデータではない。すでにリサーチ済みのデータであるため、比較的低コストで収集時間が短いという特徴があることは正しい。

イ ○：正しい。デプス・インタビューは深層インタビューともいわれ、インタビュアーと被験者が1対1で対面しながら多くの時間をかけて深層心理を探る質問法の一種である。

ウ ○：正しい。観察法とは、文字通り観察することを通して調査目的に関わる事実や行動を記録し、情報を収集する方法である。店舗内の動線調査や街角での交通量調査などが該当するが、例えば小売店のPOSシステムなどはある商品の販売数等を観察しているともいえる。視聴率調査なども現在では機械による測定が一般的である。

エ ○：正しい。エスノグラフィーによる調査は、調査対象者について直接観察する手法であるため、調査対象者自身が気づいておらず、仮に質問法で把握しようとしても困難であるような特性の理解に役立つ手法である。

オ ○：正しい。モチベーションリサーチとは、潜在的欲求を明らかにするための調査技法の総称であるが、調査者の能力によって成果が異なる、サンプル数を確保することが困難である、といった課題があった。しかしながら、テキストマイニングによって客観性のある情報収集が可能になったことや、インターネット調査という手法が生まれたことによってサンプル数の確保もしやすくなったことから、手法としての有用性が高まっている。

正解 ▶ ア

問題87　マーケティングリサーチ

1 ／　2 ／　3 ／

マーケティングリサーチは「市場調査」ともよばれ、マーケティング戦略の策定や実施管理において、意思決定の指針となる。マーケティングリサーチに関する記述として、最も不適切なものはどれか。

ア　製品の競争上の理想的な位置づけについてマーケティングリサーチを実施する際には、主要な製品属性に対する評価等のデータを用いて消費者の知覚マップを作成し、当該製品の相対的な知覚上の位置づけを分析・評価する。

イ　有意サンプリングは、母集団から確率抽出する手続きをとらないため、ランダムサンプリングに比べ統計学的な面での精度が低下する可能性が高くなる。

ウ　観察法は、調査対象者の行動や反応を調査者が直接観察することによってデータを収集するため、収集データについて調査者のバイアスが高くなる。

エ　面接法は、視覚的なツールを用いたり、相手の反応に応じた機動的な質問をしたりすることが可能であるが、地理的に広い範囲からサンプリングを収集する場合には、郵送法等に比べ多大なコストがかかる。

オ　近年のIT技術の進展に伴い、購買履歴などの顧客データベースを活用した、データマイニングによる仮説発見型のマーケティングリサーチも行われている。

解説

スピテキLink▶ 3編3章

POINT マーケティングリサーチに関する問題である。

ア ○：正しい。製品の競争上の理想的な位置づけについてのマーケティングリサーチとは、市場ポジショニングの分析を行うということである。すなわち、主要な製品属性に対する評価等のデータを用いて消費者の知覚マップを作成し、当該製品の相対的な知覚上の位置づけを分析・評価し、競合製品との差別化を図っていく。

イ ○：正しい。マーケティングリサーチを行う際、母集団すべてを調査する全数調査が現実的でない場合には、標本調査を行うことになる。その際の標本の抽出方法には、有意サンプリング（有意抽出法）やランダムサンプリング（無作為抽出法）があるが、有意サンプリングは、たとえば、街中で通りかかった人を相手にアンケートを行うなどといったことであり、乱数表などを用いて統計的に一定の確率で標本を抽出するランダムサンプリングとは異なり、標本に偏りが生じるなど、統計学的な面での精度が低下する可能性が高くなる。

ウ ×：観察法が、調査対象者の行動や反応を調査者が直接観察することによってデータを収集する旨は正しい。しかしながら、観察法は調査対象者の動機や態度などの心理的な側面は扱えないが、観察現場で起こった事実（たとえば、商店街での通行量）を調査者がそのまま記録することになる。行動など目に見える情報は客観的なものであり、収集データについて調査者のバイアス（バラツキ、偏り）が低いという長所を有する。

エ ○：正しい。面接法は、視覚的なツールの利用や複雑な質問が可能であるという長所を有する。一方、短所としては、調査コストが高いことやインタビュアーのバイアスが高いことがあげられる。

オ ○：正しい。「データマイニング」（データの採掘）とは、データの山の中から有益な情報を掘り当てることを意味する。従来型のマーケティングリサーチは、マーケティング課題に対して「問い」を設定し、それに対する回答を仮説的に設定して、リサーチによりその仮説を検証するという「仮説検証型」のアプローチであったが、近年のIT技術の進展に伴い、仮説を統計的に検証するというよりも、むしろ色々な切り口で分析しながら仮説を発見しようとする「仮説発見型」のマーケティングリサーチも行われるようになっている。

正解 ▶ ウ

Memo

問題88 マーケティングリサーチ

1／ 2／ 3／

マーケティングリサーチに関する記述として、最も適切なものはどれか。

ア すでにある目的のために収集されているデータは１次データといわれ、１次データだけでは情報が不足している場合に実験や調査を通じて新規に収集されるデータは２次データといわれる。

イ 留置法は、回答者が時間をかけて回答できるため、質問項目が多い場合に適しており、コストも低く抑えられる特徴がある。

ウ 小売業の動線調査や商店街での交通量調査は観察法といわれ、観察する主体が人か機械かによって分類することができる。

エ 実験法は、従属変数と呼ばれるいくつかの要因を操作して、独立変数と呼ばれる別の要因への影響を測定し、要因間の因果関係を探る調査方法である。

解説

スピテキLink▶　3編3章

マーケティングリサーチに関する問題である。

ア　×：マーケティングリサーチにおけるデータは、すでにある目的のために収集されている**2次データ**と、2次データだけでは情報が不足している場合に実験や調査を通じて新規に収集される**1次データ**に分けられる。

イ　×：留置法は、一般的に、事前に調査票を調査対象者に送付し、後日担当者が調査対象者を直接訪問して調査票を回収する方法であり、回答者が時間をかけて回答できるので、質問項目が多い場合に適している特徴があることは正しい。しかし、担当者が調査対象者を直接訪問する必要があることなどから、コストは他の質問法の調査方法と比べて高い。よって、**コストも低く抑えられる特徴があるわけではない**。

ウ　○：正しい。観察法とは調査対象者の行動や反応を直接調査者が観察することによって情報収集する方法である。人が直接観察する以外に機械による観察もある。たとえば小売業のPOSシステムなどはある商品の販売数等を観察しているともいえる。店内カメラやセンサーを用いた消費者行動調査や、視聴率調査なども現在では機械による測定が一般的である。

エ　×：実験法は、**独立変数**と呼ばれるいくつかの要因を操作して、**従属変数**と呼ばれる別の要因への影響を測定し、要因間の因果関係を探る調査方法である。たとえばある商品を売る場合に、値引きや特別な陳列（独立変数）をしたときの売上高（従属変数）の変化に因果関係があるかを探ることなどがこれにあたる。

正解　▶ ウ

問題 89　消費者購買行動

1 ／ 2 ／ 3 ／

消費者購買行動に関する記述として、最も適切なものはどれか。

ア　定型的問題解決行動を取る製品の場合には、その製品についての情報収集を積極的に行うことになる。

イ　関与が高い製品やサービスの場合には、口コミ情報を探索する傾向が強くなる。

ウ　製品カテゴリーそのものについては熟知しているが、ブランド間の差異が不明確な場合には、消費者は発展的問題解決行動を取る可能性が高い。

エ　消費者行動の分析モデルのひとつである情報処理モデルでは、消費者の購買行動は必ずしも論理的な判断によるものばかりでなく、感情的なものによっても影響を受けるとしている。

オ　客観的に品質が良い商品やサービスであれば、購買にあたって事前の期待が大きくなるため、期待よりも下回るものであったとしても、購入後の満足度が高くなる。

解説

スピテキLink▶　3編4章1節1・2項

POINT 消費者購買行動とは、消費者がどのような購買行動を取るのかを、さまざまな観点で分析するものである。

ア　×：定型的問題解決行動を取る製品カテゴリーは、消費者がどのような基準で製品を選択するか、またはどのような選択肢が存在するかなどについて知っているということになる。よって、基本的にはその製品についての情報収集はあまり行わずに購入する。価格が安かったり、頻繁に購入したりするような日用品などが該当する。

イ　○：正しい。関与が高い製品やサービスの場合には、購入に際して失敗したくないという思いが生じるため、口コミ情報を探索するなど、情報収集を積極的に行うことになる。

ウ　×：たとえばテレビや携帯電話の本体などは、製品そのものは知っているが、多くのブランドが存在し、その差異が不明確である状況が多いと考えられる。このような場合には、限定的問題解決行動を取ることになる。発展的問題解決行動を取るのは、製品そのものについても、どんなブランドが存在するのかについてもわからないような製品を購入する際の行動である。たとえば、初めてヨットを購入するとなった場合、製品のことも、どんなブランドがあるのかも知らない場合が多いであろう。

エ　×：情報処理モデルは、消費者は能動的に情報収集を行う存在であるととらえるものであるが、感情面まで考慮したモデルではない。論理面に加えて感情面まで考慮したモデルは精緻化見込みモデルである。

オ　×：たとえ客観的に品質が良い商品やサービスだったとしても、事前の期待の大きさを下回る場合には購入後の満足度は低くなる。逆に期待が小さかったとしても、その期待を上回るものであった場合には購入後の満足度は高くなる。たとえば、大きな期待をもって入ったレストランの場合、通常であればさほど問題にしないような些細な対応のまずさも、期待が大きかっただけに不満は大きくなる。逆に、大した期待をせずに入った飲食店で、思いのほか食事がおいしかった場合には、満足度が高くなる。

正解　▶ イ

問題 90 消費者購買行動

1 ／ 2 ／ 3 ／

消費者購買行動に関する記述として、最も適切なものはどれか。

ア 精緻化見込みモデルでは、感情的な判断で購買決定する中心的ルートと論理的な判断で購買決定する周辺的ルートの２つを想定している。

イ 特定の製品カテゴリーに対して消費者の関与が高い場合は、その製品カテゴリーに対して豊富な知識を有しているので、限定的問題解決行動をとることとなる。

ウ 購買意思決定における口コミの影響は、意思決定の後半段階になるほど大きくなり、関与が低い製品やサービスほど口コミ情報を探索する傾向が強くなる。

エ 準拠集団における所属集団とは、芸能人やスポーツ選手など自らが所属したいと思う集団のことである。

オ 製品やその購買への関与が低く、ブランド間の知覚差異が大きい場合には、さまざまなブランドを購入して試すバラエティ・シーキング型の行動を起こす。

解説

スピテキLink▶　3編4章1節1・2項

消費者購買行動に関する問題である。

ア　×：精緻化見込みモデルでは、論理的な判断で購買決定する中心的ルートと感情的な判断で購買決定する周辺的ルートの２つを想定している。中心的ルートは消費者が豊富な知識を持つ場合に見られ、有する知識を基準に論理的に購買の判断をする。一方で、周辺的ルートは消費者が製品やサービスに関してあまり知識を有しておらず、製品の見た目の善し悪しやサービスの評判など感情的な要素が判断基準になる。

イ　×：特定の製品カテゴリーに対して消費者の関与が高い場合は、基本的には積極的に情報探索を行う。しかし、関与が高いからといって豊富な知識を有しているわけではない。関与水準が同程度であるならば、有している知識が少ない人はより積極的に情報収集を行うので拡大的問題解決行動をとり、有している知識が多い人は限定的に情報収集を行うので限定的問題解決行動をとることとなる。

ウ　×：購買意思決定における口コミの影響が、意思決定の後半段階になるほど大きくなることは正しい。しかし、口コミ情報を探索する傾向が強くなるのは関与が高い製品やサービスの場合である。

エ　×：準拠集団は大きく分けて願望集団、所属集団、拒否集団の３つに分けられる。本肢の所属集団は、家族や職場の同僚など自らが所属している集団のことである。芸能人やスポーツ選手など自らが所属したいと思う集団は願望集団であり、拒否集団は自らが所属したくないと考える集団である。

オ　○：正しい。製品やその購買への関与が低く、ブランド間の知覚差異が大きい場合とは、特定の製品やサービスの購買に対するこだわりが強くなく、各ブランドの差異が大きいと感じている状態である。この場合、失敗してもいいので新しいものを試してみようという気持ちが芽生えてくることが多い。このような購買行動がバラエティ・シーキング型の行動である。たとえば、日常的に反復購買するような安価なお菓子やドリンクにおいて、味の違いを求めて毎回違うものを選ぶといった行動が挙げられる。

正解　▶ オ

問題91　消費者購買行動

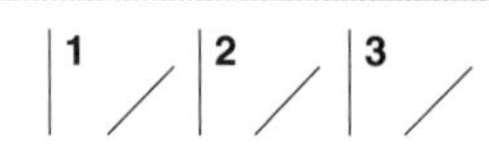

消費者購買行動に関する記述として、最も適切なものはどれか。

ア　精緻化見込みモデルにおいては、消費者が商品やサービスについて豊富な知識を持っている場合、相対的に購買対象の善し悪しを論理的な思考に基づいて評価することで態度を形成することが多く、これを周辺的ルートにおける態度形成という。

イ　購買行動に対する準拠集団からの影響は、カテゴリー採択においては高級品の場合に強く、ブランド選択においては公的な製品の場合に強くなる。

ウ　口コミはポジティブな情報よりもネガティブな情報の方が拡散しやすい性質を持つが、宿泊や外食といった経験財や、医療といった信用財では相対的に影響力が小さくなる傾向がある。

エ　価格が高く、購買頻度が低いなど、その製品カテゴリーについての知識に乏しい場合には、ブランド間の比較を非常に熱心に行う限定的問題解決行動を採る。

オ　製品購買後に間違った選択をしたのではないかという不安や後悔が生じる状態である認知的不協和は、選んだ選択肢と選ばなかった選択肢の知覚差が大きい場合に大きくなる。

解説

スピテキLink▶ 3編4章1節1・2項

消費者購買行動に関する問題である。

ア ×：選択肢の記述は中心的ルートの説明である。精緻化見込みモデルでは、おもに論理的な判断によって購買の態度を形成する中心的ルートと、おもに感情や感覚で購買の態度を形成する周辺的ルートがある。中心的ルートでは消費者が商品やサービスについて豊富な知識を持つ場合に多く見られ、知識をもとに論理的な思考に基づいて評価することで態度を形成するが、周辺的ルートではあまり知識を持っておらず、商品の外観やサービスの評判、イメージなどが判断基準になる。

イ ○：正しい。選択肢の記述の通りである。

ウ ×：口コミとは製品やサービスに関する情報が個人から個人へと伝播していくことを指し、消費者同士で情報の交換や共有が行われる。そして、口コミはネガティブな情報の方が拡散しやすい。また、企業が行うプロモーションによる情報伝達と比較し、一定の客観性と中立性を有した情報である。そして、実際に利用してみないと評価がしにくい経験財や、実際に利用しても評価が難しい信用財などにおいては、実際に利用した者の声の重要性が高く、影響力が大きくなる。

エ ×：価格が高く、購買頻度が低いなど、その製品カテゴリーについての知識に乏しい場合には、ブランド間の比較を非常に熱心に行う拡大的問題解決行動を採る。消費者の購買決定行動のタイプを、定型的問題解決行動、限定的問題解決行動、拡大的問題解決行動の3つに分類する場合があり、価格が安く、購買頻度が高い製品などを購買する場合には定型的問題解決行動をとり、限定的問題解決行動は、定型的問題解決行動と拡大的問題解決行動の中間的な位置づけである。

オ ×：認知的不協和とは自己の内部で矛盾が生じた際の心理的な緊張状態のことを指す。そして認知的不協和の程度は、選んだ選択肢と選ばなかった選択肢の知覚差が小さい場合に大きくなるとされる。

正解 ▶ イ

問題92　生産財市場のマーケティング

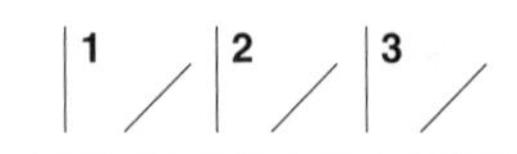

生産財市場と消費財市場とでは、いくつかの相違点が見られる。生産財市場に関する説明として、最も適切なものはどれか。

ア　生産財市場においては、少数の規模の大きな購買者が存在するが、需要の地理的な集中は見られない。

イ　生産財の購買プロセスは複雑であり、一般的にはプログラム化されない傾向がある。

ウ　購買担当者の専門性が高いため、消費財と比べて、セールスパーソンの高い専門性は要求されない。

エ　生産財の需要は、価格弾力性が小さく、短期的な価格変化の影響は小さい。

解説

スピテキLink ▶ 3編4章2節

POINT 生産財市場（または産業財）に関する問題である。消費財と比べた場合の産業財の購買行動（組織購買行動）の特徴としては、①集団による意思決定プロセス、②長期的な取引関係、③取引の専門性、④価格弾力性が小さい、があげられる。

ア ×：たとえば自動車に使われる資材は大手自動車メーカーの工場周辺地域に需要が集中するといった具合に、生産財需要は地理的集中度が高い状況も見られる。前半の記述は正しい。

イ ×：生産財の購買プロセスは複雑であるがゆえ、プログラム化される傾向がある。通常、大口の生産財購買の場合、詳しい製品仕様書や注文書、稟議などの社内の承認プロセスや購買プロセスを詳細に記した方針マニュアルが購買者側に存在する。

ウ ×：セールスパーソンにより高い専門性が要求されるのは生産財のほうである。なぜなら、生産財購買を行うのはその分野の専門家だからである。また、生産財の場合は人的販売を中心としたプッシュ戦略が基本であり、セールスパーソンの重要性はより高くなる。

エ ○：正しい。生産財の場合、（消費財と比べて）価格弾力性が小さく、短期的には価格変化の影響をさほど受けないとされる。たとえ原材料の価格が下がったとしても、製品の価格が下がるなどして需要が増えない限り、原材料の購入を大幅に増やすことは、一般的にはない。

正解 ▶ エ

問題93　プロダクトミックスの拡張

1／　2／　3／

プロダクトミックスを拡張する際のメリットとして、最も不適切なものはどれか。

ア　売上の季節的・周期的な変動を平準化できる。

イ　販売・広告活動を集中的に行うことで、効率的なプロモーションが可能となる。

ウ　顧客の広範囲のニーズに対応でき、顧客層が広がる。

エ　リスクの分散を図ることができる。

解説

スピテキLink▶　3編5章1節2項

POINT プロダクトミックスを変更（拡大・縮小）するにあたっては、以下のような点に留意する。

① シナジー：拡大・縮小する製品が既存製品群に対し、どの程度の補完関係にあるかを評価する。

② 販売可能性：拡大する製品が、企業収益にどの程度貢献するのか、もしくは縮小する製品がPLC上のどの時期に達しているのかを評価する。

③ 採算性：拡大する製品が、確実な利益を獲得できるかどうか、もしくは縮小する製品が企業平均の利益率を低下させているかどうかを評価する。

④ 将来性：拡大する製品が、企業の将来の主力商品になり得るかどうか、また縮小する製品の市場がすでに縮小化を示しているかどうかを評価する。

ア　○：正しい。現在の製品とは異なる売上の動きをする製品を導入すれば、全社的な売上の平準化（安定化）を図ることが可能である。

イ　×：選択肢の内容は、プロダクトミックスを縮小した場合のメリットである。

ウ　○：正しい。従来の市場セグメントとは異なるセグメントに対応する製品を導入すれば、広範囲の市場ニーズを取り込め、顧客層が拡大する。

エ　○：正しい。既存製品とは異なる商品を導入すれば、リスクの分散（ポートフォリオ効果）が期待できる。

正解 ▶ イ

問題 94　製品戦略

1 ／　2 ／　3 ／

製品戦略に関する記述として、最も適切なものはどれか。

ア　製品やサービスの価値は、「基本価値」「便宜価値」「感覚価値」「観念価値」という4つに区分することができ、「基本価値」が最も重要な差別化要素となる。

イ　複数の製品ラインを展開しており、ターゲットは同質的であるが、その製品イメージが異質的である場合には、統一的なブランドの使用による認知度向上と個々の製品ラインの特徴の訴求を両立するダブルブランドを採用することの有効性が高い。

ウ　ブランド名が、ユニークかつ好ましい特性と強力に結びついている場合、消費者はブランド名を聴いた際に多様な事柄を想起することになる。これをブランド認知という。

エ　パッケージは製品の容器や包装のことであるが、ブランド要素としてみた場合には、ブランドの識別やイメージの供給といった機能を有しており、視覚に訴えることはできるものの触覚への訴求はできないという特徴がある。

オ　サービスが有する特性である消滅性への対応としては、接客マニュアルの整備や従業員の教育訓練などが有効である。

解説

スピテキLink▶　3編5章1・3・4・6節

製品戦略に関する問題である。

ア　×：製品やサービスの価値が、「基本価値」「便宜価値」「感覚価値」「観念価値」という4つに区分することができるのは正しい。しかしながら、「基本価値」とは、その製品カテゴリーにおける必要条件であり、これを有していないのであれば、そもそもその製品カテゴリーにおいて市場に流通させることが困難である。つまり、基本価値は市場に流通させて競争の土俵に乗る前提であり、基本的にはどのブランドも有しているものである。よって、差別化の重要な要素とはならない。差別化の重要な要素となるのは、おもに「感覚価値」や「観念価値」である。

イ　○：正しい。選択肢の記述の通りである。

ウ　×：選択肢の記述はブランド連想の内容である。あるブランドが提示された際に、消費者が製品カテゴリーや製品属性といった多様なイメージを想起する場合、そのブランドは固有のイメージを有していることになる。このように、ブランド名と連想された事柄との結びつきがブランド連想であり、ユニークで、好ましいイメージであり、その結びつきが強い場合にブランド価値は高くなる。ブランド認知とは、そのブランドが消費者にどれくらい知られているかということである。

エ　×：パッケージをブランド要素としてみた場合には、ブランドの識別やイメージの供給といった機能を有していることは正しい。しかし、パッケージは、ブランド名、キャラクター、スローガンといったブランド要素の中で、唯一触覚への訴求が可能である。

オ　×：サービスには、生産と消費が同時に行われるために在庫を持つことができないという、消滅性という特性がある。このことに対する対応策としては、時間割引や季節料金を導入してピーク時の需要をコントロールする需要管理や、需要ピーク時にパートタイム従業員を活用して供給能力を高める供給管理といった方法がある。接客マニュアルの整備や従業員の教育訓練などはサービスの品質の変動性への対応策である。

正解 ▶ イ

問題95　製品戦略

1 ／　2 ／　3 ／

製品戦略に関する記述として、最も適切なものはどれか。

ア　製品自体の品質や機能以外に、その製品に付された意味や解釈といったものを製品の便宜価値という。

イ　1つの商品に対して2つの異なる企業のブランドを併記することをダブルブランドといい、多くの場合ナショナルブランドとプライベートブランドの併記になる。

ウ　あるブランドを継続的に購入しているが、他の選択肢がないことなどによって惰性で購買している状態は、見せかけのロイヤルティという。

エ　コンテンツの創造や問題解決、あるいは研究開発を行うために、不特定多数の人々に対して公募形式で資源の提供を求め、余剰能力を労働力のプールとして用いることをクラウド・ファンディングという。

オ　サービスの品質への変動性の対応策には、セルフサービスを導入して消費者のサービスへの参加度合いを高める方法などがある。

解説　スピテキLink▶　3編5章1節3項、3節1・2項、5節3項、6節2項

製品戦略に関する問題である。

ア　×：本肢の内容は、観念価値の説明である。製品の価値は、基本価値、便宜価値、感覚価値、観念価値の4つに分類される。そのうち便宜価値は、便利さや使い勝手の良さ、購買のしやすさといったことを意味する。たとえばシャンプーがポンプ付きの容器に入っている場合、使う時に便利であることから便宜価値を有するといえる。

イ　×：本肢の内容は、ダブルチョップの説明である。ダブルブランドは、標的市場は同質だが製品ライン間の競争地位やイメージが異質的である場合に、統一的なブランド（多くは社名）と個々のブランドを組み合わせるブランド採用戦略のことである。

ウ　○：正しい。ロイヤルティとは、ある特定のブランドに対する消費者の忠誠心のことである。ロイヤルティは行動的ロイヤルティの高低と心理的ロイヤルティの高低から4つに分類されるが、行動的ロイヤルティが高く心理的ロイヤルティが低い場合を見せかけのロイヤルティという。これは繰り返し購買しているので行動的ロイヤルティは高いが、他に選択肢がないのでしかたなく購買するような心理的には低いロイヤルティの状態を指す。

エ　×：本肢の内容はクラウド・ソーシングの説明である。クラウド・ソーシングは不特定多数の人々の情報的経営資源を調達して活用することを意図している。一方で、クラウド・ファンディングは、新製品開発などの資金をオンライン上の不特定多数の消費者から調達することである。

オ　×：サービスの特性には、無形性、品質の変動性、不可分性、消滅性、需要の変動性の5つがあるが、セルフサービスを導入して消費者のサービスへの参加度合いを高める方法は消滅性における供給管理への対応策の例である。品質の変動性とは、サービス提供者や提供時期によって品質が異なる可能性が高いことを指す。対応策としては、接客マニュアルの整備や接客者への教育訓練の実施などによる迅速性や正確性の向上などが挙げられる。

正解　▶ ウ

5章

問題96 製品ライフサイクル

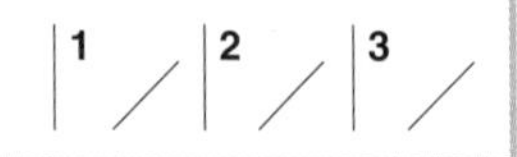

企業には、製品ライフサイクルの各段階に応じたマーケティング戦略が必要となる。これについて下記の設問に答えよ。

設問1 成長期のマーケティング戦略

成長期におけるマーケティング戦略に関する記述として、最も不適切なものはどれか。

ア 新しい市場セグメントや流通チャネルを追加する。

イ 広告は自社製品へのブランド選好を目的に実施される。

ウ イノベーター層を対象とするため、一般的に上澄吸収価格政策を採用する。

エ 開放的チャネル政策を採用するとともに、製品の種類を増やし、サービスや保証を提供する。

設問2 成熟期のマーケティング戦略

成熟期のマーケティング戦略に関する記述として、最も適切なものはどれか。

ア 市場の拡大と競争対抗上、生産設備やマーケティングへの大規模な投資が必要となる。

イ 市場のニーズが画一化され、市場の寡占化が進むので、新たな企業が参入する余地はまずない。

ウ サンプル配布を積極的に行う。

エ ライフサイクルエクステンションが実施される時期である。

解説

スピテキLink ▶ 3編5章2節、6章1節2項、7章1節1項

製品ライフサイクルとマーケティング政策の関連は次のとおりである。

		導入期	成長期	成熟期	衰退期
特徴	売上	低	急成長	ピーク	低下
	コスト	高	平均	低	低
	利益	マイナス	上昇	高	低下
	顧客	イノベーター	初期採用者	大衆	採用遅滞者
	競争者	ほとんどなし	増加	安定	減少
マーケティング目的		知名とトライアル	シェアの最大化	利益最大化とシェア維持	支出削減とブランド収穫
戦略	製品	ベーシック製品	製品拡張サービス、保証	多様なブランド、モデル	弱小アイテムのカット
	価格	コスト・プラス法	浸透価格	競合者対応	価格切り下げ
	チャネル	選択的	開放的	より開放的	選択的：不採算店舗の閉鎖
	広告	初期採用者とディーラーへの知名	大衆への知名と関心喚起	ブランドの差別的優位性の強調	コア顧客維持必要水準まで削減
	販促	トライアルを目指し集中実施	消費者需要が大きいため削減	ブランド・スイッチを目指し増加	最小限に削減

設問 1

ア ○：正しい。ただし、「新しい市場セグメントや流通チャネルの追加」は成熟期でも見られる内容である。

イ ○：正しい。

ウ ×：選択肢の記述は、導入期に関する内容である。導入期は、イノベーター（革新者：高価格でも新しいアイディアを試したがる層）を対象とするため、一般的に上澄吸収価格政策を採用する。

エ ○：正しい。市場シェアの拡大を図るために、開放的チャネル政策を採用する。また、企業は成長期間をできるだけ長く維持するために、製品の質を改良したり、新しい特徴を加えたり、モデルを増やしたりする（ただし、成熟期でも見られる）。さらに、サービスや保証

を提供することで、ブランド選好を高める。

正解 ▶ ウ

設問 2

ア ×：選択肢の記述は、成長期に関する内容である。成長期には市場の拡大や競合企業の参入にともない、生産設備やマーケティングへの大規模な投資が必要となる。成熟期において、市場全体の成長率の鈍化により、宣伝や販売促進に力を入れたり、製品改良のための研究開発投資を行うことは多いが、業界全体で過剰生産能力が生じているので、生産設備への大規模な投資を行うわけではない。

イ ×：利益の減少にともない、市場から撤退する企業が多くなり、寡占的な市場が形成される。一方で、市場のニーズも本質的な機能以外にも多様化することから、新しい事業機会も生まれ、そこに新たな参入企業の出現が見られる場合がある。「新たな企業が参入する余地はまずない」わけではない。

ウ ×：サンプル配布は試用を目的に実施されるものであり、成熟期というよりは導入期で行うべき活動である。

エ ○：正しい。ライフサイクルエクステンションとは、製品寿命を伸ばし、ロングセラー化を実現しようという取り組みのことである。具体的には、品質・特徴・スタイルなどの変更やモデルチェンジ等による製品の有用性、安全性、利便性の拡大である。

正解 ▶ エ

Memo

問題97 ブランド戦略

1／ 2／ 3／

次の文章を読んで、下記の設問に答えよ。

ブランドの戦略には、製品カテゴリーが既存か新規か、ブランド名が既存か新規かを基準として、4つのタイプがある。このうち、すでに展開しているカテゴリーにおいて、確立された信用を利用することができること、また、新たな名称や製品を投入してブランド認知を高める場合に比べてコストがかからないこと、という2つの点から理にかなった方法は、[　　　]である。

設問1 ブランド戦略

空欄に該当する用語として、最も適切なものはどれか。

ア ライン拡張
イ ブランド拡張
ウ マルチブランド
エ 新ブランド

設問2 ブランドの確立

ブランドの確立に関する記述として、最も適切なものはどれか。

ア 中・低級ブランドから高級ブランドへリポジショニングを図ることは、高級ブランドから中・低級ブランドへリポジショニングを図る場合よりも容易であると考えられる。
イ 消費者（ユーザー）は、ブランド名によって、製品の品質や期待できる特徴、提供されるサービスなどを判断する。
ウ ブランドは、広告によって築き上げられる。
エ 優れたブランドがもたらすベネフィットとは、もっぱら合理的なベネフィットである。

解説

スピテキLink▶ 3編5章3節2・3項

ブランドとは、「名前、用語、サイン、シンボル、デザイン、あるいは、それらの組み合わせであり、ある売り手の商品を競争者から区別するためにつけられたもの」である。

設問 1

設問の「4つのブランド戦略」は、次のマトリックスで表される。

ブランド名	製品カテゴリー 既存製品	製品カテゴリー 新製品
既存のブランド名	ライン拡張	ブランド拡張
新たなブランド名	マルチブランド	新ブランド

ア ○：正しい。ライン拡張とは、既存製品カテゴリーに既存のブランド名をつけるブランド戦略である。当該カテゴリーにおいて確立された信用を利用することができ、新たな名称や製品を投入してブランド認知を高める場合に比べてコストがかからないというメリットがある。

イ ×：ブランド拡張とは、既存のブランド名を新しい製品カテゴリーに導入することである。よって、「すでに展開しているカテゴリーにおいて」という条件に合致しない。

ウ ×：マルチブランドとは、新たなブランド名を同じ製品カテゴリーに導入することである。

エ ×：新ブランドとは、新たなブランド名を新たな製品カテゴリーに導入することである。

正解 ▶ ア

設問 2

ア ×：中・低級ブランドから高級ブランドへリポジショニングを図ることは、今までのブランドイメージを払拭しなければならず、多大な経営努力を要し、成功確率も低い。高級ブランドから中・低級ブランドへリポジショニングを図る場合よりも困難である。

イ ○：正しい。消費者は、ブランド名によって製品の品質や特徴、提供されるサービスなどを判断する。そして、そのことに対して割増金を支払う価値があるかどうかを決める。

ウ ×：広告はブランドへの注意を喚起するものであるが、広告によってブランドが形成されると考えるのは誤りである。広告、PR、イベント、社会貢献活動などさまざまなツールの組み合わせによって、ブランドは総合的に構築されていく。

エ ×：優れたブランドは、合理的ベネフィットだけでなく、感情的ベネフィットももたらしてくれる。

正解 ▶ イ

Memo

5
章

問題98 ブランド

1 ／ 2 ／ 3 ／

ブランドに関する記述として、最も不適切なものはどれか。

ア プライベートブランドはOEM生産によって展開することも多いが、この場合、OEMの委託側が在庫リスクを抱えることになる。

イ ダブルブランドは、新たに展開する製品カテゴリーにおいて、統一的なブランドによって早期に認知度を向上させることと、個々のブランドによって製品の特徴を際立たせることの両立が図れるものである。

ウ ブランド化の手段には多様なものがあるが、ブランドネーム、スローガン、ジングルは、言語性を有している点で共通している。

エ ブランドエクイティを向上させるためには、そのブランド名が知られている度合いであるブランド知名度が高いことや、ブランド名を耳にした際にさまざまなイメージが浮かんでくるといったブランド連想が好ましいといったことなどが必要になる。

オ ブランド拡張は、既存製品において大きな成功を納めたブランドを用いて、同一の製品カテゴリーの製品ラインナップを充実させていく際に有効なブランド戦略である。

解説

スピテキLink▶　3編5章3節1～3項

ブランドに関する問題である。

ア　○：正しい。OEM生産とは相手先ブランドによる生産である。またプライベートブランドは流通業者が企画・開発した製品に付けるものであるため、プライベートブランドを展開する場合には、製造機能を有していない流通業者が、OEM生産の形で製造業者に生産を委託することによって展開することも多い。そして、この場合には、そのプライベートブランド製品はその流通業者においてしか販売することができないため、通常は、生産した製品はすべてOEMの委託側である流通業者が買い取ることになり、在庫リスクを抱えることになる。

イ　○：正しい。ダブルブランドは、統一的なブランドと個々のブランドを組み合わせる形のブランドの冠し方であるため、新たに展開する製品カテゴリーにおいて、早期に認知度を向上させることと、製品の特徴を際立たせることの両立が図れるものである。

ウ　○：正しい。ブランド化の手段には、ブランドネーム、ロゴ、キャラクター、スローガン、ジングル、パッケージなど、多様なものがあるが、ブランドネーム、スローガン、ジングルは、言語性を有している点で共通している。

エ　○：正しい。ブランドエクイティとは、ブランドの資産価値のことであり、それを形成する要素としては、ブランド知名度、ブランドロイヤルティ、知覚品質、ブランド連想といったものがある。よって、そのブランド名が知られている度合いであるブランド知名度が高いことや、ブランド名を耳にした際にさまざまなイメージが浮かんでくるといったブランド連想が好ましいといったことなどはブランドエクイティを向上させるために必要になる。

オ　×：ブランド拡張は、既存製品において大きな成功を収めたブランドを用いて、新たな製品カテゴリーの製品ラインナップを充実させていく際に有効なブランド戦略である。同一の製品カテゴリーにおける新たな製品に既存ブランドを展開していくのはライン拡張である。

正解　▶ オ

5章

問題 99　ブランド

1 ／ 2 ／ 3 ／

ブランドに関する記述として、最も適切なものはどれか。

ア　強いブランドを形作るためには、ブランド・イメージとブランド知識によって、消費者の頭の中に優秀なブランド認知を形成することが重要になる。

イ　ブランド要素の１つであるブランド・ネームが、既存の製品カテゴリーを超え、他の異なるカテゴリーの新製品にも活用可能な場合、そのブランド・ネームは適合可能性を有しているといえる。

ウ　見せかけのロイヤルティの状態である消費者に対しては、心理的ロイヤルティは高い状態であるものの、真のロイヤルティを有する顧客に育成するために、顧客満足度を高め、購買頻度を高めていく。

エ　流通業者が自社の社名をブランドとしてつける場合、それをナショナルブランドと呼ぶ。

オ　ブランドは多くの人々に共通の事項を想起させる固有名詞であり、特定のブランドに触れた際に、特定の製品カテゴリーやイメージ、知識や感情などを想起することをブランド連想という。

解説

スピテキLink▶ 3編5章3節1・2項

ブランドに関する問題である。

ア ×：強いブランドを形作るためには、ブランド・イメージとブランド認知によって、消費者の頭の中に優秀なブランド知識を形成することが重要になる。ブランド認知とは対象ブランドが潜在顧客に知られている度合いのことであり、ブランド・イメージとは対象ブランドについて考えた場合に頭の中に浮かぶ連想の集まりのことである。そして、ブランド知識は、ブランド・イメージとブランド認知から構成される。

イ ×：ブランド要素とは、自社製品を他社製品と区別するための手段として用いられる言語的・視覚的な情報のことで、ブランド・ネームやロゴ、ジングル、パッケージなどがある。そして、各ブランド要素を評価する基準として、「記憶可能性」「意味性」「移転可能性」「適合可能性」「防御可能性」といった5つの代表的な基準がある。「適合可能性」とは、消費者の価値観の変化や現代的なイメージに応じてブランド要素を更新することができるかという基準のことである。特定の製品カテゴリーに用いられているブランド・ネームが、他の異なるカテゴリーの新製品にも活用可能な基準は移転可能性である。

ウ ×：見せかけのロイヤルティの状態である消費者は、行動的ロイヤルティは高いが、心理的ロイヤルティは低い状態である。見せかけのロイヤルティの状態である消費者を真のロイヤルティを有する顧客に育成するために、顧客満足度を高めることが必要なことは正しい(購買頻度については、現時点においても高い可能性がある)。

エ ×：流通業者が自社の社名をブランドとしてつける場合、それは、プライベートブランド（流通業者が使用するブランド）であり、ファミリーブランド（社名をブランドとして統一して訴求していく）である。ナショナルブランドは、メーカーが使用するブランドである。

オ ○：正しい。ブランドは企業や企業の製品・サービスを他の企業や他の企業の製品・サービスと識別して差別化するために、企業が独自に使用する名称やマークのことであり、多くの人々に共通の事項を想起させる固有名詞としての機能を持つ。また、ブランド連想は、ブランド名を認識したときに、製品カテゴリーやイメージ、知識や感情などが想起されることを指し、その数が多く、ユニークであるほどブランドの価値が高くなる。

正解 ▶ オ

Memo

問題 100 パッケージ（包装） 1／ 2／ 3／

パッケージに関する記述として、最も不適切なものはどれか。

ア パッケージには、運搬や取り扱いの際に内容物を保護する機能がある。

イ 個装は消費者包装ともよばれ、商品の一部を構成する。

ウ 工業包装は商品の販売促進の目的で行われる。

エ パッケージ計画の策定プロセスにおいては、パッケージコンセプトを確立してから、パッケージデザインの決定が行われる。

解説

スピテキLink▶ 3編5章4節

POINT パッケージには、内容物を保護する機能、運搬などの利便性を提供する機能がある。また、使用方法や商標、規格の表示など情報を提供する機能や、パッケージのデザインなどの工夫により販売促進に役立つ機能もある。そして、視覚や触覚への訴求によってブランド価値を向上させる機能も有する。

ア ○：正しい。包装は目的別に、商品の販売促進の目的で行われる商業包装と、物流過程における商品の保護や荷役の便宜を目的に行われる工業包装とに分かれる。

イ ○：正しい。

ウ ×：商品の販売促進の目的で行われるのは、商業包装である。

エ ○：正しい。

正解 ▶ ウ

問題 101　新製品開発

1 ／ 2 ／ 3 ／

消費者ニーズの多様化、競争環境の変化、技術の発展などめまぐるしく変わる環境の中で、企業は生き残りをかけ、絶えず新しい製品を開発して市場に導入していかなければならない。企業における新製品開発について、最も不適切なものはどれか。

ア　スクリーニングは自社にとって不適切なアイデアを取り除き、開発コストを節約するために行われる。

イ　コンセプトテストを行った後、決定された製品コンセプトをもとに、売上見込みや損益分岐点分析などの事業性評価を行う。

ウ　全国展開する製品のテスト・マーケティングでは、多くの最新の顧客動向を把握するために、なるべく人口の多い大都市を実施地域に選定するべきである。

エ　消費者の反応や新しいトレンド、地域の消費特性を直接知るためには、企業名を伏せたアンテナショップを活用するのも有効である。

オ　新製品の市場導入は無理に早めるのではなく、市場の状況を考慮し、場合によっては導入の延期も検討しなくてはならない。

解説

スピテキLink▶　3編5章5節1・2項

新製品開発に関する問題である。新製品開発のプロセスは固定的なものではないが、一般に次のようなプロセスが紹介されることが多い。

①アイディアの創造→②スクリーニング→③事業性の分析→④プロトタイプの開発→⑤テストマーケティング

※③には、コンセプトの開発やポジショニングが含まれる。

※③と④の間に「マーケティング戦略の策定」をあげる場合もある。

ア　○：正しい。スクリーニングは、組織の目的や標的市場に照らして、アイデアを取捨選択する段階である。新製品のプロトタイプを実際に開発するためには非常に多額のコストを要する。よってスクリーニングによって、自社にとって不適切なアイデアを取り除き、コストを節約する。

イ　○：正しい。通常、考えられるいくつかのコンセプトを標的となる消費者グループの反応によって比較評価（コンセプトテスト）し、最良のものを選択する。製品コンセプトは標的市場のニーズに照らし合わせた便益が示されるので、製品のポジショニングを描くことができ、定量的な分析（事業性の評価）が可能となる。事業性の評価の段階では、コストや売上見込み、損益分岐点分析、競争分析、投資収益率予測などが行われる。

ウ　×：テスト・マーケティングの実施地域の選定基準は、所得分布や嗜好などの面で、全国市場と近い平均的な市場であることや、域内で完結した広告媒体が存在することなどを基準に選定されるため、選択肢の記述は不適切である。この基準により、静岡、札幌、広島などが選択されるケースが多い。テストの実施により、初動、リピート、広告や販促との連動などが測定され、商品仕様、販売計画、訴求ポイントなどが全国展開に際して修正される。

エ　○：正しい。アンテナショップとは、メーカーや卸売業者、小売業者が新製品を発売したり、新しい業態を展開する際、顧客の反応や地域の消費特性などを調べるため、実験的に出店する店舗である。有名企業が企業名を伏せて独自の事業として展開するケースもある。

オ　○：正しい。新製品を市場導入するタイミングは、市場における成功の機会が存在し、競争的に好ましい状況でなくてはならない。タイミング的に不適切であれば、導入の延期も検討する。

正解 ▶ ウ

Memo

問題102 サービスマーケティング

1 ／ 2 ／ 3 ／

サービスマーケティングに関する下記の設問に答えよ。

設問1 サービスマーケティング

サービスマーケティングに関する記述として、最も適切なものはどれか。

ア サービスの非均一性という特性に対応するには、サービスを記録・保存する方法を構築する。

イ サービスの非貯蔵性という特性に対応するには、需要の集中と分散を考慮して季節料金などの、需要に応じた価格設定を行う方法がある。

ウ サービスの非有形性という特性に対応するには、セールスマニュアルの整備や顧客満足度の調査などの方法がある。

エ サービスの不可分性という特性に対応するには、サービスを購入した際の変化などを具体的にビジュアルとして表現する方法がある。

設問2 インタラクティブマーケティング

サービス財のマーケティングに関してはいくつかの概念があるが、インタラクティブマーケティングに関する記述として、最も適切なものはどれか。

ア サービスの品質が、顧客と販売者の相互作用によって影響されることに着目したマーケティング活動である。

イ 顧客に対し十分なサービスを提供するためには、まずサービス提供者に対してその戦略などをマーケティングする必要があるという考えである。

ウ 自社商品だけに限らず、いくつかのサービスや商品を組み合わせて、顧客の抱える問題を解決し、顧客価値を向上させようという考え方である。

エ 需要のオーバーフローに対応するためのマーケティングである。

解説

スピテキLink ▶ 3編5章6節1～3項

POINT サービスマーケティングとは、無形財であるサービスについてのマーケティングのことである。原則的には通常のマーケティングと同じ考え方をするが、無形財ゆえの特徴も存在し、以下のようなものがある。

① 非有形性（無形性）
無形財は、形がなく、目で見たり触ったりすることができない。

② 不可分性（同時性）
無形財は、それを提供する人が必ずその場にいなければならない。すなわち生産と消費が同時に行われる。

③ 非貯蔵性（一過性）
無形財は、生産と消費が同時に行われ、在庫することができない。

④ 非均一性（変動性）
無形財は、誰がそれを提供するか、いつそれが提供されるかによって、サービスの質が異なる可能性が大きく、質の均一性を保ちにくい。

5章

設問 1

ア ×：選択肢の記述は、サービスの「非均一性」ではなく、「不可分性」への対応の説明である。サービスの不可分性への対応としてはほかに、一度に多数の消費者を相手に提供するといったことがあげられる。

イ ○：正しい。サービスの非貯蔵性への対応としては、需要の平準化をはかることがあげられる。

ウ ×：選択肢の記述は、サービスの「非有形性」ではなく、「非均一性」の特性への対応の説明である。

エ ×：選択肢の記述は、サービスの「不可分性」ではなく、「非有形性」の特性への対応の説明である。

正解 ▶ イ

設問 2

ア ○：正しい。インタラクティブマーケティングとは、従業員と顧客との間に位置するマーケティングのことで、サービス購買者とサービス提供者の相互作用（インタラクティブ）を通じてサービスの知覚品質を向上させようというものである。

イ ×：選択肢の記述は、インターナルマーケティングの内容である。インターナルマーケティングとは、対社内のマーケティングであり、インタラクティブマーケティングと対をなす概念である。

ウ ×：選択肢の記述は、システム販売の内容である。単なる自社商品の販売を主眼とせず、顧客の真のニーズを満たすためにいくつかの製品やサービスを組み合わせるソリューション型の手法である。

エ ×：選択肢の記述は、ディマーケティングの内容である。ディマーケティングとは、需要を一時的、あるいは永久的に減らすマーケティング手法で、需要をなくしてしまうのではなく、削減したり移転したりすることで需要のオーバーフローに対応する。例としては、需要の平準化を目的とした旅行会社の季節料金の設定がある。

正解 ▶ ア

Memo

問題 103 サービスマーケティング

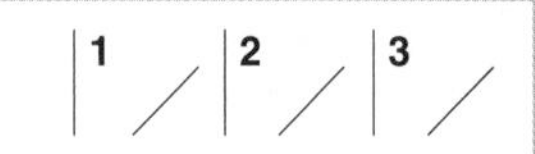

サービスマーケティングに関する記述として、最も適切なものはどれか。

ア 弁護士や会計士などの専門家が、自身のサービス品質を保証するために国家資格認定や学位などの資格証明書をオフィスに掲げるのは、サービスの不可分性に対する対応策といえる。

イ サービスの提供過程に消費者を参加させることは、「需要の変動性」という特性に対して効果的な対応であるが、このことは顧客満足度向上とはトレードオフの関係にある。

ウ 映画館などで朝・昼の時間帯で特別割引価格を設定することは、サービスの消滅性に対する供給管理の例といえる。

エ サービス・プロフィット・チェーンの考え方によれば、従業員満足の向上に取り組むことで、サービス品質が顧客満足を充足するに十分なレベルになり、顧客ロイヤルティが高まることで企業の収益性や成長性に影響を与えることになる。

解説

スピテキLink▶　3編5章6節1～3項

サービスマーケティングに関する問題である。

ア　×：弁護士や会計士などの専門家が、自身のサービス品質を保証するために国家資格認定や学位などの資格証明書をオフィスに掲げるのは、サービスの無形性に対する対応策といえる。サービスは目に見えないことから、相対的に事前にそのサービス内容や水準について理解しにくいが、このように品質を保証するものを提示することは物的証拠となり、事前に品質水準を判断しやすくなる。

イ　×：サービスの提供過程に消費者を参加させることは、提供する側の供給能力を補完することにもなるため、「需要の変動性」という特性に対して効果的な対応であるといえる。また、このことは、顧客満足度の向上に寄与することも多い。よって、消費者をサービスの提供段階に参加させること（このこと）が顧客満足度向上とはトレードオフの関係にあるということはない。

ウ　×：映画館などで朝・昼の時間帯で特別割引価格を設定することは、サービスの消滅性における需要管理の例といえる。サービスは形がないため在庫することができない。この特性を消滅性という。そのため、映画館の例でいえば、座席数よりも集客数が多ければ機会損失が生じ、座席数よりも集客数が少なければ売れ残りが生じる。そのため、需要量と供給量を均衡させることが重要になる。通常であれば需要量が少ない朝・昼の時間帯で特別割引価格を設定すれば、需要量が増加することが見込まれ（需要管理）、売れ残りを回避することができる。

エ　○：正しい。選択肢の記述のとおりである。そして、従業員満足を高めるために行うマーケティング活動をインターナル・マーケティングという。

正解 ▶ エ

問題 104 サービスマーケティング

1 ／ 2 ／ 3 ／

サービスマーケティングに関する記述として、最も適切なものはどれか。

ア 予約システムを導入することは企業側の供給能力を高めることに直結するため、需要と供給のギャップを抑制することが可能になる。

イ サービスの不可分性という特性によって、有形財と比較して商圏の拡大がしにくいという特徴がある。

ウ インターナルマーケティングとは、顧客を従業員のように身近な存在であるととらえることで、サービスレベルを向上させていくものである。

エ 経験価値マーケティングを重視する場合には、製品やサービスの本質的な機能を高度に高めることが主要な要件となる。

解説

スピテキLink▶　3編5章6節1～3項

サービスマーケティングに関する問題である。

ア　×：予約システムを導入することは、直接的には需要を平準化させることに貢献する。その結果、需要と供給のギャップを抑制することが可能になる。

イ　○：正しい。サービスの不可分性とは、生産と消費が同時に行われるということである。そのため、消費者はそのサービスを受ける場所に赴く必要があり、仮に商圏を拡大する場合には、店舗を消費者の近隣に立地する必要がある。有形財であれば、仮に生産する場所が消費者のいる場所から遠くであっても、流通させることでその財を得ることが可能である。よって、サービスは相対的に商圏の拡大がしにくいという特徴がある。

ウ　×：インターナルマーケティングとは、従業員をあたかも顧客のようにとらえ、ニーズに応えていくことで業務に対するコミットメントの向上や離職率の低下を図り、最終的に顧客満足度を向上させていくものである。

エ　×：経験価値マーケティングを重視する場合には、必ずしも製品やサービスの本質的な機能を高度に高めるだけでなく、文字どおり、消費者の経験を刺激するマーケティング活動を行うことになる。よって、本質的な機能を高度に高めることが主要な要件となるものではない。

正解　▶ イ

問題 105 価格戦略

1 ／ 2 ／ 3 ／

価格戦略について、下記の設問に答えよ。

設問 1 価格戦略

価格戦略に関する記述として、最も適切なものはどれか。

ア 需要の価格弾力性とは、需要が１％変化した時に価格が何％変化するかを見る指標である。

イ スキミングプライス政策とは、新製品の価格を低価格に設定して、その低価格により大量の顧客に製品購入を促し、圧倒的な市場シェアを獲得していくという価格政策である。

ウ ペネトレーションプライス政策とは、新製品の導入時に高い価格を設定しておき、成長期に移行するとともに価格を徐々に低下させていく方法である。

エ 新製品の価格設定にあたっては、コスト、需要、競争の３つの観点が必要になる。

設問 2 市場浸透価格戦略

新製品の市場導入に際しては、高価格を設定する上澄吸収価格戦略と低価格を設定する市場浸透価格戦略の２つの代替案がある。このうち市場浸透価格戦略が採用される状況について、最も不適切なものはどれか。

ア 製品の特性上、価格弾力性が高い場合。

イ 長い製品ライフサイクルと大きな市場規模が予測されている場合。

ウ 改良型の新製品のように、製品需要が成熟期にある場合。

エ 価格設定の誤りをはじめとしてマーケティングミックスの修正が比較的容易である場合。

オ 製品にそれほど差別性がなく、競争企業の参入の脅威が大きい場合。

解説

スピテキLink▶　3編6章1節1～3項

新製品の価格設定法には下記の2つがある。

①初期高価格政策（スキミングプライス政策、上澄吸収価格政策ともいう）	新製品の導入時に高い価格を設定し、成長期に移行するとともに価格を徐々に低下させていく。
②初期低価格政策（ペネトレーションプライス政策、市場浸透価格政策ともいう）	新製品の価格を低価格に設定し、その価格的な魅力により大量の顧客に製品購入を促し、圧倒的な市場シェアを獲得する。

初期高価格政策と初期低価格政策はそれぞれ以下の要件を満たす場合に成立すると考えられる。

①初期高価格政策の成立要件	②初期低価格政策の成立要件
・優れた品質やイメージが高価格を支援し得ること ・高価格でも十分な需要があること ・少量生産によるコストアップが、高価格の優位性を打ち消さないこと ・競合他社が簡単に安い価格で参入できないこと	・需要の価格弾力性が高く、低価格により市場が成長すること ・生産ならびに流通のコストが販売量の増加とともに低下すること ・低価格設定により競合他社を市場から締め出せること

6章

設問 1

ア　×：需要の価格弾力性とは、価格が1％変化したときに、需要が何％変化するかを見る指標である。

イ　×：POINTでの解説のとおり、選択肢の記述はペネトレーションプライス政策の記述である。

ウ　×：POINTでの解説のとおり、選択肢の記述はスキミングプライス政策の記述である。

エ　○：正しい。また、価格の設定範囲の上限をカスタマーバリュー（顧客にとっての価値）、下限をコストととらえることもできる。

正解 ▶ エ

設問 2

ア　○：正しい。製品の（需要の）価格弾力性が高い場合、低価格をつけることで大きく販売を伸ばすことができる。

イ　○：正しい。製品ライフサイクルが長い場合、あるいは市場規模が大きい場合には、低価格によっても十分な収益が期待できる。

ウ　○：正しい。製品需要が成熟期にある場合には、改良型新製品といえども、もはや高価格での販売は難しい。

エ　×：選択肢の内容の場合には、上澄吸収価格戦略が採用される。市場導入時に低価格を採用した場合、後に価格を上げるのは困難であろうが、当初、高価格をつけた場合でも、後に価格を下げることは一般的にも多く見られることである。

オ　○：正しい。製品間に差別化の余地がない場合は価格での競争になる。また競争企業の参入の脅威が大きい場合には、低価格によってあらかじめ市場シェアを押さえておく必要がある。

正解 ▶ エ

Memo

問題 106 価格戦略

1 ／ 2 ／ 3 ／

次の文章を読み、下記の設問に答えよ。

価格は、さまざまな影響要因を考慮したうえで、一定のプロセスを経て設定される。価格政策にはさまざまなものがあるが、その中には、①心理的価格政策や②販売促進的価格政策などがある。

設問 1 心理的価格政策

下線部①心理的価格政策に関する記述として、最も不適切なものはどれか。

ア 端数価格は、端数にて設定する価格のことで、値ごろ感をアピールする狙いがある。

イ 慣習価格は、社会的、習慣的に価格が決まっていて、変更できないような価格のことである。

ウ プライスライニングは、主に高級品やブランド品の価格設定で採用される心理的価格政策のひとつである。

エ 心理的価格政策は、製造業よりも主に小売業において採用される価格設定方法である。

設問 2　販売促進的価格政策

下線部②販売促進的価格政策に関する記述として、最も不適切なものはどれか。

ア　販売促進的価格政策は、プロモーションの観点から価格を設定していこうという政策である。

イ　エブリデーロープライス政策とは、一定期間広告を打って、特売品を販売するという価格政策である。

ウ　特定の目玉商品に、原価を割った魅力的な低価格を設定する方法をロスリーダー政策という。

エ　自社の低価格販売に対する取り組み方や戦略を紹介して、なぜ低価格で販売できるのかを消費者に訴えかける政策も、販売促進的価格政策のひとつである。

解説

スピテキLink▶　3編6章1節4項

POINT

心理的価格政策とは消費者の心理に働きかけて、購入を促進させる価格の設定法である。

代表的なものとして、次のものがある。

① 端数価格：298円、3,999円などの端数にて設定する価格。値ごろ感をアピールするねらいがある。

② 慣習価格：社会的、習慣的に価格が決まっていて、変更できないような価格。これより高価格に設定すると、需要が激減すると考えられる。

③ 名声価格：高級ブランドなどが、そのステータスを維持するためにつける価格。

④ プライスライニング：10,000円、15,000円、20,000円などキリの良いいくつかの価格ラインに整理することである。

設問 1

ア　○：POINTでの解説のとおり、正しい。

イ　○：POINTでの解説のとおり、正しい。慣習価格が存在する場合、企業はこれよりも高い価格をつけても、低い価格をつけても販売の伸びは期待できない。

ウ　×：選択肢の記述は名声価格に関する内容である。

エ　○：正しい。心理的価格政策は、消費者心理に働きかける価格政策であり、主に小売業で採用される方法である。

正解　▶　ウ

設問 2

ア ○：正しい。なお、販売促進的価格政策には、ロスリーダー政策やエブリデーロープライス政策がある。

イ ×：選択肢の記述は、ロスリーダー政策の内容である。エブリデーロープライス政策とは、特売品を販売することではなく、恒常的に低価格を訴求するものである。

ウ ○：正しい。ロスリーダー政策のことを、おとり価格政策ともいう。目玉商品以外の同時購買をねらいとしている。

エ ○：選択肢の記述は、エブリデーロープライス政策の説明であり、正しい。

正解 ▶ イ

問題107 価格戦略

1 ／ 2 ／ 3 ／

価格設定の方法に関する記述として、最も適切なものはどれか。

ア　知覚価値法は、消費者が商品に対してどれだけの価値を知覚するかに基づいて価格設定を行うが、類似商品などの価格帯から適切な価格帯を予測する場合もある。

イ　差別価格法とは、価格面において競合他社に対して優位性を築き、市場シェアを獲得していく手法である。

ウ　コスト志向的価格設定法は、製造業では製造原価、流通業では仕入れ原価に加算することで販売価格を決定していくため、消費者が受け入れやすい価格設定になるのが利点である。

エ　競争志向的価格設定法は、競合他社の価格をふまえて価格設定を行うため、消費者の価格に対する反応が小さい場合に採用される。

オ　心理的価格政策は、販売相手の心理に働きかけて購入を促進する政策であり、主にメーカーなどが流通業者相手に採用する場合が多い。

解説

スピテキLink▶　3編6章1節3・4項

価格戦略に関する問題である。

ア　○：正しい。知覚価値法は、市場調査によって直接消費者の知覚価値を測定する場合もあるが、類似商品や代替商品の価格帯から予測して設定する場合もある。

イ　×：差別価格法とは、同一、もしくはほぼ同一の商品に対してセグメント（顧客層）ごとに異なった（差別化した）価格を設定する方法である。運賃の学割などが典型例である。

ウ　×：コスト志向的価格設定法は、企業側の都合（収益性の確保）によって価格を決定する方法のため、コストや仕入れ原価の金額によっては、消費者が支払ってもよいと感じる金額よりも高くなる可能性もある。よって、消費者が受け入れやすい価格になるとは限らない。

エ　×：競争志向的価格設定法は、消費者の価格に対する反応が大きい場合に採用される場合が多い。消費者の価格に対する反応が大きい場合には、仮に競合他社が値下げをしてきた場合に顧客を奪われる可能性が大きい。そのため、このような場合には競合他社の価格を念頭において価格設定を行う競争志向的価格設定法を採用する必要性が高くなる。

オ　×：心理的価格政策は、消費者の心理に働きかけて購入を促進させる政策であり、主に小売業が最終消費者に対して実施することが多い。具体的には、端数価格、名声価格などがある。

正解 ▶ ア

問題108 価格戦略

1 ／ 2 ／ 3 ／

価格戦略に関する記述として、最も不適切なものはどれか。

ア サブスクリプションでは、所有ではなく利用に対して価格が発生する。

イ 売り手側が消費者に対し製品の品質の高さやステータスを訴求するために、意図的に高く設定された価格を威光価格という。

ウ 新製品の価格を決める際に、競合他社が簡単に安い価格で市場参入できない場合、初期低価格政策を採用して圧倒的な市場シェアを早期に獲得することの有効性が高くなる。

エ インターネットの普及などにより消費者と企業の間の情報格差が縮小したことで、消費者が価格によって品質を判断するという機能が作用しにくくなっている。

オ ロスリーダー政策による特定製品の大幅な値引きやハイ・ロープライシングによる頻繁な価格の変動は、消費者の内的参照価格を低下させ、通常価格での製品販売が阻害されるデメリットがある。

解説

スピテキLink▶　3編6章1節2～4項

価格戦略に関する問題である。

ア　○：正しい。サブスクリプションでは販売する財の数、あるいはサービスの量や回数といったことではなく、それらを一定期間利用したり享受したりする権限を提供し、その資格を有する期間に対して価格が発生し対価を得る契約のことである。

イ　○：正しい。威光価格（名声価格）はブランド品などの高級品に対してそのステータスを保つために付ける価格で、通常は高価格に設定する。宝石を例にすると、消費者は価格の高いものは品質も良く価格の安いものは品質も劣ると判断する傾向にある。そのために、仮にある一定水準よりも価格を低下させてしまうと品質が悪いと認識され、需要量が低下することもある。

ウ　×：新製品の価格設定政策には初期低価格政策と初期高価格政策がある。初期低価格政策は、新製品の価格を低価格に設定して大量の顧客に製品購入を促し、圧倒的な市場シェアを早期に獲得する政策である。価格を下げることで需要量を大きく拡大できるなど、市場における需要の価格弾力性が高い場合や、低価格設定によって競合他社を締め出すことができる環境の場合に有効になる。一方、初期高価格政策は、新製品の導入期に高い価格を設定しておき、成長期に移行するとともに価格を徐々に低下させる政策である。競合他社が安い価格で簡単に市場参入できないなど参入障壁が高い場合や、高価格でも十分な数の購買が期待できる場合などに有効になる。よって、新製品の価格を決める際に、競合他社が簡単に安い価格で市場参入できないのであれば、初期高価格政策を採用することの有効性が高くなる（初期低価格政策の有効性が高くなるわけではない）。

エ　○：正しい。価格の品質バロメーター機能についての記述である。この機能が作用しやすい場合には、消費者は価格が高ければ品質が良い、低ければ品質が悪いと判断する傾向にある。選択肢イの威光価格は価格の品質バロメーター機能が作用している場合に有効な価格政策ともいえる。

オ　○：正しい。ロスリーダー政策はおとり政策とも呼ばれ、特売用の目玉商品で顧客を引きつけ、通常価格品の同時購買を促す政策である。また、ハイ・ロープライシングは特売などで一時的に通常価格より大幅に値引きして商品を販売する価格政策である。内的参照価格は消費者の過去の購買経験から形成された消費者の記憶内にある価格水準であり、消費者は内的参照価格を基準に商品価格の高低を判断する。よって、同じ商品を頻繁に値下げすると顧客の内的参照価格が低下してしまい、通常価格で販売しにくくなるデメリットがある。

正解 ▶ ウ

Memo

6
章

問題 109 価格決定や製品特性

1 ／ 2 ／ 3 ／

価格決定や製品特性に関する記述として、最も適切なものはどれか。

ア 製品の製造に必要なコストを元に、一定マージンを加えることで目標販売価格を設定する価格設定法であるターゲット・コスティングは、適正な利益率によって販売することが可能になる。

イ 一般に、ある製品間の交差弾力性がゼロより小さい場合には競争製品の関係に、ゼロより大きい場合には独立製品の関係に、ゼロに近い場合には補完製品の関係にあるといえる。

ウ デジタル技術の進展により、ダイナミックプライシングの有効性は高まっているが、オークションサイトにおける売り手と買い手が価格交渉するパターンは、価格の変動性が見られるものの、ダイナミックプライシングとは見なされていない。

エ テーマパークの年間パスポートはサブスクリプション方式の一例といえるが、継続的な取引が前提となっている関係上、顧客との関係性構築や発展が重要であるといえる。

解説

スピテキLink▶　3編6章1節1・3・4・7項

価格の決定や製品特性に関する問題である。

ア　×：製品の製造に必要なコストを元に、一定マージンを加えることで目標販売価格を設定する価格設定法は、コストプラス法である。ターゲット・コスティングは、目標価格を設定し、必要利益を算出することで目標コストを設定する方法である。適正な利益率によって販売することが可能（あるいはそれを目指す）である点は、コストプラス法、ターゲット・コスティング両方に共通する特徴といえる。

イ　×：交差弾力性とは、ある製品Aの価格変化が、別の製品Bの需要量の変化にどれだけ影響を与えるかを把握する概念であり、「製品Bの需要量の変化率÷製品Aの価格の変化率」で表される。この交差弾力性がゼロより小さいということは、Aの価格が下がった場合に、Bの需要が増加するということである。この場合、Aも価格が下がることによって需要が増加するため、AとBは補完製品の関係にある。交差弾力性がゼロより大きいということは、Aの価格が下がった場合にBの需要が減少するということである。この場合、Aの需要は増加するため、AとBは競争製品の関係にある。ゼロに近い場合には、Aの価格が変化してもBの需要に変化がないということであるため、独立製品の関係にあるといえる。なお、本問は「一般に」ということであるので、ギッフェン財（価格が上がると需要が増加する財）などの特殊なケースではないとする。

ウ　×：売り手と買い手が価格交渉を行うオークションのような形態は、消費者間取引のダイナミック・プライシングといえる。消費者間取引においては、売り手は自分の意思で柔軟に価格設定することが可能であり、価格設定の自由度が高いばかりでなく、買い手の要求にも応じやすい。このことは価格が需給によって即時に変動することを意味しており、従来からよく見られる航空業界やホテル業界の価格設定のような動的価格設定（ダイナミック・プライシング）と同様の例といえる。

エ　○：正しい。サブスクリプション方式は、「所有」ではなく「利用」に対して月額利用料や年間利用料などの料金が支払われる。顧客の離反を抑えることで着実に売上が維持されるが、そのためには顧客との関係性構築や、顧客の他社製品への購買意思決定を先送りさせる仕組みの構築などの施策が重要になる。

正解 ▶ エ

Memo

問題 110 流通チャネル

1 ／ 2 ／ 3 ／

流通チャネルに関する記述として、最も不適切なものはどれか。

ア ターゲット顧客が限定的である商品カテゴリーの流通においては、狭くて短いチャネルを構築する必要性が高くなる。

イ 流通業者の特定メーカーに対する取引依存度は、流通業者の総仕入額に対する特定メーカーからの仕入額の比率と、当該メーカーの総販売額に対する当該流通業者への販売額の比率が関係し、前者の数値が高い場合、メーカー側がパワーを行使しやすくなる。

ウ フランチャイズ方式によって店舗展開する場合、マーケティング活動の標準化が原則であるが、店舗間で需要の価格弾力性が大きく異なったり、ターゲット層の異質性が大きかったりする場合には、その限りでない。

エ 投機の原理に従った生産や販売活動を行うことは、消費現場から前倒しして製品形態の確定や在庫形成を行っていくため、需要の変動性などの不確実性に対処しやすくなる。

オ チャネルを構成するメンバー間におけるコンフリクトは不可避であるため、パワー資源を有したメンバーがそれを行使して統制を図る、あるいは、対立そのものをなくすのは困難な場合には、「交渉戦略」「境界戦略」「相互浸透戦略」といった、対立による影響を緩和する方法によってマネジメントすることになる。

解説

スピテキLink▶ 3編7章1節

流通チャネルに関する問題である。

ア ○：正しい。チャネルの長さは、流通業者が多段階になるほど長い、ということになる。また、チャネルの広さ（幅）はどれだけ多くの小売業者に自社製品を取り扱ってもらうかということである。ターゲット顧客が限定的である商品カテゴリーの場合、たとえば日用品のような通常の長い流通チャネルを経由せず、小売業者は製造業者から直接仕入れるケースも多いなど、相対的にチャネルは短くなる可能性が高い。また、多くの小売店で取り扱う必要性も低いことから、チャネルは狭くなる可能性が高い。

イ ○：正しい。流通業者の特定メーカーに対する取引依存度は、当該流通業者が特定メーカーからどれだけ仕入れているかだけでなく、そのメーカーが当該流通業者にどれだけ販売を依存しているかの両面が関連するということである。

ウ ○：正しい。フランチャイズ方式によって店舗展開する場合には、各加盟店におけるマーケティング活動は標準化されたものになるのが原則である。しかしながら、店舗間で需要の価格弾力性が大きく異なったり、ターゲット層の異質性が大きかったりする場合には、効果的な価格帯や適切な品揃えも異なるであろう。よって、その店舗特性に合ったものにするのが効果的である。

エ ×：投機の原理に従った生産や販売活動を行うことが、消費現場から前倒しして製品形態の確定や在庫形成を行っていくことになるのは正しい。しかしながら、需要の変動性などの不確実性には対処しにくい。投機の場合には、事前の需要予測に基づき、実需が生じる前に生産活動を行っているため、実需が事前の予測と異なっている場合に、対応がしにくいためである。

オ ○：正しい。チャネルを構成するメンバーは利害が異なるため、メンバー間におけるコンフリクトは不可避である。しかしながら、これが過度な水準になると、協力関係が損なわれ、全体としての利益を損なうことになる。そのため、メンバーの中でパワー資源を有したメンバーがそれを行使して統制を図るといった、直接的な対処方法によるコンフリクトの解消や、対立そのものをなくすのは困難な場合には、「交渉戦略」「境界戦略」「相互浸透戦略」といった、対立による影響を緩和する方法（間接的な対処方法）によってマネジメントすることになる。

正解 ▶ エ

Memo

問題111　流通や物流

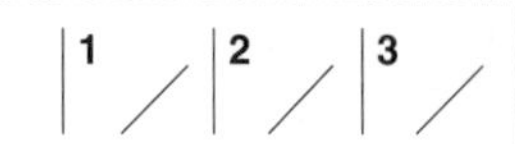

流通や物流に関する記述として、最も不適切なものはどれか。

ア　生産拠点を集中化し、大ロット生産を行う投機型の対応により、規模の経済を発揮することができる。

イ　3PLは、企業のロジスティクス管理のすべて、または一部を担う専門業者のことであり、主力事業への集中やグローバル市場化による市場競争の激化などによって出現してきた背景がある。

ウ　サプライチェーンマネジメントは、原材料の調達から最終消費者への販売に至る各プロセスに細分化し、それぞれにおいて最適化を図ることで過剰在庫や機会損失を削減していくものである。

エ　流通における危険負担機能とは、商品とその対価の交換が同時に行われない場合に、そのリスクを買い手と売り手のいずれかが担うことになる機能である。

オ　POSデータの収集と分析の強化や、SPA型のビジネスモデルによる事業展開は、延期型の対応を実現するために有効になる。

解説

スピテキLink▶ 3編7章2節

流通や物流に関する問題である。

ア ○：正しい。投機型とは、製品の生産から消費に至る流れにおける製品形態の確定や在庫形成を、消費者から遠い点で前倒しして行うものである。この場合には、生産拠点は集中化することになる。また、大ロット生産を行うことで規模の経済を発揮することになる。

イ ○：正しい。3PL（サードパーティロジスティクス）は、企業のロジスティクス管理のすべて、または一部を担う専門業者のことである。また、出現してきた背景としては、企業の事業活動において、経営資源を主力事業へ集中させたり、グローバル市場化による市場競争が激化したりといったことにより、ロジスティクス機能がアウトソーシングの対象になってきたことが挙げられる。

ウ ×：サプライチェーンマネジメントとは、原材料の調達から最終消費者への販売に至るまでの一連のプロセスを、企業の枠も超えて全体最適を志向してマネジメントすることである。よって、各プロセスに細分化して、それぞれにおいて最適化を図るものではない。過剰在庫や機会損失を削減していくというのは正しい。

エ ○：正しい。商品とその対価の交換が同時に行われない場合に、買い手と売り手のいずれかがリスクを負うことになる（一方が、商品もしくは対価を得ていない）。このようなリスクを負担する機能を流通における危険負担機能という。

オ ○：正しい。延期型とは、製品の生産から消費に至る流れにおける製品形態の確定と在庫形成を、消費現場に近い点まで引き延ばすものであるため、消費者ニーズに適応することを志向することになる。POSデータの収集と分析を強化することは、消費者のニーズや需要量などを予測することに役立つ。また、SPA型のビジネスモデルとは、製造から小売までを統合した垂直統合度の高い販売業態であるため、この形態で事業展開することは、顧客ニーズを的確にキャッチしやすくなる。よって、これらは延期型の対応を実現するために有効である。

正解 ▶ ウ

問題112 チャネル戦略

1 ／ 2 ／ 3 ／

チャネル戦略に関する記述として、最も適切なものはどれか。

ア　メーカーにとっては、チャネルが短いと負担する流通コストが上昇する可能性が高くなる。

イ　POSシステムにより販売時点情報の入手が可能になると、売れ筋の商品予測が可能になり、投機型システムへの誘因が高まることになる。

ウ　これまでにない革新的な製品を市場投入する場合、認知度を高めることが重要であるため、開放的チャネル政策を採用することになる。

エ　レギュラーチェーンは、フランチャイズ契約に比べてスピード感のある店舗網の拡大を推進するのに有効である。

解説

スピテキLink▶ 3編7章1節

チャネルに関する問題である。

ア ○：正しい。チャネルの長短はチャネルの段階数であり、チャネルが短いということは、メーカーと消費者の間に介在する卸売業者や小売業者といった流通業者の数が少ないということである。この場合、メーカーは自社で負担する流通コストの負担が上昇する可能性が高くなる。逆に、流通業者が多く介在すれば、流通コストを転嫁することができ、その分、メーカーが負担する流通コストが低くなる。

イ ×：POSシステムを導入することで、販売時点における情報の入手が可能になる。流通の最終段階で多様化する消費者ニーズの把握が可能になることで、製造・卸売業・小売業の各段階で入手情報を共有し、製品の形態や生産量の意思決定をできるだけ実際の需要を反映させた内容にする延期型システムが志向されることになる。よって、売れ筋の商品予測が可能になることは正しいが、投機型システムへの誘因が高まるわけではない。

ウ ×：これまでにない革新的な製品を市場投入する場合に、製品の認知度を高めることが重要であることは正しい。しかしながら、この段階では対象顧客となるのが革新者（イノベーター）であり、今後の市場規模の成長についても見定めている段階である。特にこれまでにない革新的な製品の場合には、需要動向も不確実である。よって、まずは、チャネルを限定した形で流通させていくことになるのが通常である。

エ ×：フランチャイズ契約の場合、契約に基づいてチャネルの拡大が可能であるため、レギュラーチェーン（直営店）よりもスピード感のある店舗網の拡大を推進するのに有効である。

正解　ア

7章

問題113 流通チャネル

1 ／ 2 ／ 3 ／

流通チャネルに関する記述として、最も適切なものはどれか。

ア ボランタリーチェーンは、小規模の独立した事業者同士が、独立性を維持したまま販売促進や仕入れといった活動を共同で行うものであり、主催者は小売業者となる。

イ メーカーにとって、チャネル運営上、自社のブランド力の維持が最も重要な要素である場合には、排他的チャネル政策を採用することになる。

ウ 小売業者がメーカーや卸売業者に対し、店頭での売れ筋商品の情報や店舗の内外装、売り場作りなどの情報のフィードバックを行うことをリテールサポートという。

エ チャネルの長短とは、生産者と消費者の間に存在する流通業者の段階数を意味するが、最もチャネルが短い形態を間接チャネルという。

オ 原材料の調達から始まり、生産、物流、販売に至る一連のプロセスを自社で完結するように総合的にマネジメントするシステムを、サプライチェーンマネジメントという。

解説

スピテキLink▶　3編7章1・2節

流通チャネルに関する問題である。

ア　×：ボランタリーチェーンは、小規模の独立した事業者同士が、独立性を維持したまま、販売促進、仕入れ、在庫管理といった活動を共同で行うことであり、今日では卸売業者主宰と小売業者主宰のものが多いが、製造業者主宰もある（必ず主催者が小売業者となるわけではない）。

イ　○：正しい。メーカーが、チャネル運営上、自社のブランド力を維持していくためには、流通業者を管理していくことが必要である。よって、これが最も重要な要素である場合には、排他的（専属的）チャネル政策を採用することになる。

ウ　×：リテールサポートは、メーカーや卸売業者が小売業者に対して行う各種支援のことである。支援内容としては、新製品や売れ筋商品の情報提供、店舗の内外装や売り場作りの提案、販売や広告・宣伝の提案、といったものがある。

エ　×：チャネルの長短が、生産者と消費者の間に存在する流通業者の段階数を意味することは正しい。そして、段階数が多ければチャネルが長い、段階数が少なければチャネルが短いということになる。間接チャネルは、メーカーと消費者の間に流通業者が介在する形であるため、最もチャネルが短い形態は、メーカーが消費者と直接取引するものである直接チャネル（またはダイレクトチャネル）である。

オ　×：サプライチェーンマネジメントとは、原材料の調達から販売に至る供給活動において、原材料の供給業者、生産者、流通業者、物流業者などが、企業の枠を超えて必要な情報を共有し、過剰在庫や機会損失の削減、付加価値の増大やコストダウン、顧客満足の向上などを目指す総合的マネジメントのことである。一連のプロセスを自社で完結するわけではない。

正解　▶ イ

問題114 プロモーション戦略

1 ／ 2 ／ 3 ／

次の文章を読んで、下記の設問に答えよ。

今日の企業のプロモーション戦略において、その中核をなしているのは［ a ］である。このことは、売り手側からの一方通行の流れであるセリングと比べ、売り手と買い手の双方向のやりとりというマーケティングの特徴を考えれば妥当であると考えられる。

プロモーションの手法は、大きく、広告、パブリシティ、人的販売、販売促進の4つの要素から構成されるが、この4つの要素のどれに力点を置くかによりプッシュ戦略とプル戦略に分類することができる。

一般的に、消費財は［ b ］戦略が、産業財は［ c ］戦略が有効とされている。さらに先の4つの要素別に見ると、消費財は［ d ］が、産業財は［ e ］が最も有効なプロモーション手法とされている。両財ともに、最も有効性が低いとされているのが［ f ］である。

こうした［ a ］の重要性の高まりに応じ、企業が発信するあらゆるメッセージならびに使用するメディアを消費者の視点から戦略的に統合しようとする［ g ］といった取り組みも見られるようになった。

設問1 プロモーション戦略

空欄aに入る用語として、最も適切なものはどれか。

ア コミュニケーション
イ メディアミックス
ウ ブランドコンタクト
エ リサイクル

設問 2　プロモーション戦略

空欄 b から空欄 f に入る最も適切な語句の組み合わせを下記の解答群から選べ。

〔解答群〕

ア　b：プッシュ　c：プル　d：広告　e：人的販売　f：パブリシティ

イ　b：プッシュ　c：プル　d：パブリシティ　e：広告　f：販売促進

ウ　b：プル　c：プッシュ　d：広告　e：販売促進　f：人的販売

エ　b：プル　c：プッシュ　d：広告　e：人的販売　f：パブリシティ

設問 3　プロモーション戦略の分類

空欄 g に入る用語として、最も適切なものはどれか。

ア　戦略的マーケティング

イ　ソーシャルマーケティング

ウ　統合型マーケティングコミュニケーション

エ　リレーションシップマーケティング

解説

スピテキLink▶ 3編1章1節3項、8章、9章1節

POINT プロモーションの主たる使命は、消費者に商品に関する情報を提供し、記憶させ、説得することで実際の購買へと誘導することである。そのためには、商品特性に応じた効果的なプロモーションミックスを開発し、実行することが課題となる。また、プロモーション戦略をマーケティングコミュニケーションともよぶことから想像できるように、売り手と買い手とのコミュニケーションがプロモーションの中核となる。

設問 1

ア ○：問題本文中の「売り手と買い手の双方向のやりとり」、および第4段落の記述から、最も妥当と判断できる。

イ ×：メディアミックスとは、複数の広告メディアを組み合わせて広告を行うことである。近年では、口コミやイベントのサポートなどメディアミックス以外のプロモーションも重視されているため、最も適切とはいえない。

ウ ×：ブランドコンタクトとは、設問3で触れる統合型マーケティングコミュニケーション（IMC）に関する用語で、消費者とブランドとの接点を管理することである。

エ ×：空欄aの前後の文脈から、リサイクルが最も適当とはいえない。ただし、社会的志向のマーケティングコンセプトが台頭するにつれ、リサイクルも消費者が製品を選ぶ際のポイントのひとつになってきているのは事実である。

正解 ▶ ア

設問 2

消費財は、通常プル戦略が採用され、広告が最も有効なプロモーション手法となる。一方、産業財には通常プッシュ戦略が採用され、さらには人的販売が最も有効とされる。これは、取引に専門性が要求されるため、複雑な説明が可能である営業担当者が果たす役割が大きいことによるものと考えられる。消費財、産業財ともパブリシティが最も効果が低いとされるが、これはニュースとして取り上げられるかどうかは、メディア側の判断であり、取り上げられても一時的であるため、消費者への露出が限定的であることが理由として考えられる。

正解 ▶ エ

設問 3

ア ×：戦略的マーケティングとは、マーケティングを経営戦略の策定の中心機能に位置づける考え方である。

イ ×：ソーシャルマーケティングとは、企業の利益至上志向を廃し、企業のもつマーケティング手法を社会的、非営利的な領域に採用しようという考え方である。

ウ ○：正しい。統合型マーケティングコミュニケーション（IMC）とは、明確で一貫したメッセージを標的市場に伝達するために、企業のすべてのコミュニケーションソースを慎重に統合しようとするものである。

エ ×：リレーションシップマーケティングとは、顧客個人の情報をデータベース化し、個人の特定のニーズに合致した製品やサービスを将来にわたって提供することで、顧客と企業の長期的な取引関係を構築しようというものである。

正解 ▶ ウ

問題115 広告媒体

1 ／ 2 ／ 3 ／

広告にはさまざまな媒体が使用される。広告媒体に関する説明で、最も不適切なものはどれか。

ア ラジオ広告は制作が容易であり、豊富な媒体ビークルの存在によるセグメンテーション効果が期待できるが、特定の広告と他の広告との混雑度が高いという短所がある。

イ 屋外広告は広告の反復露出効果が期待できるためターゲットの選択が容易であり、ティーザー広告にも適している。

ウ 雑誌広告は企画から実施までの期間が長いため、タイムリーな広告には適していない。

エ テレビ広告の場合、ターゲットの選択は難しいが、説得力と到達力に優れているというメリットがある。

オ ダイレクトメールは広範囲のターゲットに対しピンポイント的に訴求することができ、ターゲットとの双方向のコミュニケーションにも適している。

解説

スピテキLink▶ 3編8章2節1項

広告媒体に関する問題である。広告とは、メッセージの発信企業が、媒体を通して製品や企業などについての情報を消費者に伝達する手法のことである。

ア ○：正しい。ラジオは音声だけのため広告制作が容易であり、適時性に優れているが（ながら視聴が多いので消費者の意識にマッチした広告訴求が可能である）、テレビ広告と同様、他の広告との混雑度が高いという短所がある（次から次へと流れる広告をイメージしてみるとよい）。そのほかのラジオ広告の特徴として、①個人訴求性（個人視聴が多いのでパーソナルメディアとなる）、②豊富な媒体ビークル（媒体の銘柄、放送局など）の存在によるセグメンテーション効果などがある。

イ ×：屋外広告は定置媒体であるので、広告の反復露出効果が期待できる一方で、（一部を除けば）ターゲットの選択がほとんど不可能であるという制約がある。ティーザー広告（じらし広告）に適した媒体であるというのは正しい。

ウ ○：正しい。雑誌広告には、①比較的高コストである、②セグメンテーション効果が期待できる（地理的および人口動態的に絞られたターゲットへのアクセスに適している）、③企画から実施までの期間が長い（タイムリーな広告には適さない）、④綴じ込みはがきなどによるアンケートや資料請求など、マス媒体としては読者との双方向性に優れている、といった特徴がある。また、編集タイアップにより、記事として広告主の意向を伝えたり、製品サンプルを広告に添付することができる。

エ ○：正しい。テレビを媒体とした広告は、（放送時間や番組内容によってある程度のセグメントは可能であるが）他の媒体と比べてターゲットの選択が容易であるわけではない。対象の選択が容易なのは、特にダイレクトメールやインターネットである。また音声と映像を自在に組み合わせることによって豊かな表現が可能であり、説得力に富む。東京にあるキー局を中心として全国にネットワークが構築されており、到達力にも優れている。

オ ○：正しい。ダイレクトメールに返信はがきやクーポンを添付したり、

8章

URL（ホームページの場所）を記載しておくことで双方向のコミュニケーションに発展させることができる。また、広範囲のターゲットに対しピンポイント的に訴求することが可能である。

正解 ▶ イ

Memo

問題116 プロモーション

1 ／ 2 ／ 3 ／

プロモーションに関する記述として、最も不適切なものはどれか。

ア 口コミの購買行動への影響は、相対的に自動車や美容院といった自己表現を実現するようなカテゴリーにおいては弱くなり、経験財である宿泊や外食、信頼財である医療のようなカテゴリーにおいて強くなる。

イ プロモーションミックスは、広告やパブリシティに重点を置いて消費者の需要を喚起するプッシュ戦略と、人的販売や販売促進に重点を置いて製品を売り込むプル戦略に分類される。

ウ 企業は、PR活動を通して利害関係者との間に良好な関係の構築を試みるが、その目的は企業への好意的な評判やイメージの形成である。

エ 顧客との接点が多様化していることを踏まえ、一貫性のあるメッセージを発信するために多様な媒体を駆使し、総合的に計画・管理することをIMCという。

解説

スピテキLink▶ 3編8章1節1・2項、2節2・5項

プロモーションに関する問題である。

ア ○：正しい。自己表現を実現するようなカテゴリーにおいては、自ら判断したい、あるいは自分の個性を表現したいと考えることから、口コミの購買行動への影響は弱くなる。一方、経験財は文字通り経験してみないと評価が難しい財、信頼財は購入後も評価が難しい財であり、これらは実際の消費経験を参考にすることを望むため、口コミの購買への影響は強くなる。

イ ×：プロモーションミックスは、広告やパブリシティに重点を置いて消費者の需要を喚起するプル戦略と、人的販売や販売促進に重点を置いて製品を売り込むプッシュ戦略に分類される。

ウ ○：正しい。PR活動とは、企業経営に関わる業績、人事、環境報告などの情報発信や、社会貢献活動などを通して企業への好意的な評判やイメージの形成を目的としている。

エ ○：正しい。IMCは、コミュニケーション手段が多様化し、顧客との接点が増えていく中で、多様な媒体において一貫性のあるメッセージを発信する総合的な計画・管理を行うことである。

正解 ▶ イ

問題117　プロモーション戦略の各種手法

1 ／ 2 ／ 3 ／

プロモーション戦略に関する下記の設問に答えよ。

設問 1　人的販売

人的販売に関する記述として、最も不適切なものはどれか。

ア　他のプロモーション手段と比べて、情報を伝えたときから顧客が反応するまでの期間が短いという特徴がある。

イ　さまざまな購買動機を持つ顧客に対して、きめ細かい活動を行うことができる。

ウ　訴求する対象が広く、同時に多数の人々に情報伝達を行うために、結果として割高になる。

エ　他のプロモーション手段と比べて、提供する情報の質にばらつきが生じやすい。

設問 2　販売促進

狭義の意味での販売促進の特徴に関する記述として、最も適切なものの組み合わせを下記の解答群から選べ。

a　広告と並行して行うことで、さらなる販売効果が期待できる。

b　目先の利益にとらわれることなく、長期的な視点に立った動機づけを行う。

c　規模・予算・表現方法に柔軟性がある。

d　製造業者の市場での地位向上を背景に、重要度が増してきている。

e　開発にあたっては、対象に対するインセンティブの量がポイントとなる。

〔解答群〕

ア　aとbとd　**イ**　aとcとe　**ウ**　bとcとd

エ　bとcとe　**オ**　cとdとe

解説

スピテキLink▶　3編8章2節3・4項

POINT 人的販売とは、営業担当者が見込み客へ直接接し、製品の販売、説得を行うプロモーション手段である。双方向のコミュニケーションを通じて行うため、相手の反応を確かめながら売り込みができるので、成約確率が高く、また個別対応が行えるというメリットがある。また、販売促進とは、広義にはマーケティングミックス（４Ｐ）のひとつであるプロモーションと同義であるが、狭義にはこのプロモーションのうちの１要素としてとらえられ、他の３つの要素（広告、パブリシティ、人的販売）に該当しないものを指す。試験対策上は、後者の意味でとらえてよい。

設問 1

ア　○：正しい。人的販売では、営業担当者が顧客（流通業者、消費者）と直接やり取りするため、営業担当者から顧客へ伝えた情報が、顧客の反応として即座にフィードバックされる。その結果を受けて、営業担当者が新たな情報提供を行うという循環が繰り返される。

イ　○：正しい。顧客に対して個別に対応していくために、きめ細かい活動を行うことができる。

ウ　×：人的販売では、当然のことながら人件費が発生する。また、同時に多数の人々に情報伝達ができず、訴求する対象が極めて限定されるため、コストは割高となる。

エ　○：正しい。営業担当者各人のスキルによって、情報の質にばらつきが生じやすい。セールスマニュアル等の整備といった、質の平準化、標準化が望まれる。

正解 ▶ ウ

設問 2

a ○：正しい。販売促進は、人的販売や広告と同時進行的に行うことで、消費者の商品（製品）認知度や購買意欲をさらに向上させる。

b ×：やや判断に悩む内容であるが、販売促進とは、一般的には、消費者の購買意欲や販売店の販売意欲を喚起させるための短期的な動機づけになる活動の総称であり、最も適切であるとはいえない。ただし、近年は短期的な効果だけでなく、長期的な顧客との関係を構築する役割も重要視されてきている。

c ○：正しい。予算、対象、目的に応じた多様な販売促進策が存在し、適切な選択を行うことで、十分な効果が期待できる。

d ×：販売促進は、流通業者の市場における発言力の高まりから、次第に重要視されてきたという背景がある。

e ○：正しい。一般的に、販売促進を行う対象（消費者、流通業者、社内）へのインセンティブ（動機づけとなるような経済的メリットなど）の量が大きいほど、販売効果は期待できる。

正解 ▶ イ

Memo

問題118　プロモーション

1 ／ 2 ／ 3 ／

プロモーションに関する記述として、最も適切なものはどれか。

ア　同一ターゲットへの接触機会を増やしたい場合には、リーチよりフリクエンシーを重視した媒体への出稿が有効になる。

イ　広告ページや広告枠に記事風に制作した広告を掲載するペイド・パブリシティは「広告に見えない広告」といわれ、消費者にとっての信頼度は通常の広告よりも低くなる。

ウ　メーカーが流通業者に対して行うリベートとよばれるセールス・プロモーションは、取引の際に価格の割引を行って流通業者に取扱量を増やしてもらう目的で行われる。

エ　広告、PR、セールス・プロモーションなど様々なマーケティング・コミュニケーションの手段を1つの複合体として捉え、企業の視点からコミュニケーションの全体を再構築する活動をIMCという。

解説　スピテキLink▶　3編8章2節1・2・4・5項

POINT　プロモーションに関する問題である。

ア　○：正しい。リーチとは、一定期間に広告を1回以上見た人の見込視聴者数に対する割合であり、その広告がどれくらいの人に到達したかを表す指標である。また、フリクエンシーは一定期間に広告を見た平均回数であり、同じ広告を何回視聴したかを表す指標である。フリクエンシーを重視した媒体は、同一ターゲットが繰り返し視聴するインターネットサイトや、雑誌、ラジオなどが該当する。

イ　×：広告ページや広告枠に記事風に制作した広告を掲載するペイド・パブリシティは「広告に見えない広告」といわれている。通常は記事の中に「広告」「企画制作：○○新聞社広告局」などのクレジットが入るため、記事体広告や編集タイアップともいわれる。基本的にパブリシティは企業がマス媒体に対して自社の新製品情報などのニュース素材を提供する活動を指し、広告のような多くのコストを要しない特徴があるが、ペイド・パブリシティは料金を支払うパブリシティ活動であり、消費者にとっての信頼度は通常の広告よりも高くなる。

ウ　×：メーカーが流通業者に対して行うセールス・プロモーションをトレード・プロモーションという。トレード・プロモーションの代表的な手段であるリベートにはさまざまな条件があるものの、基本的には取引の際に価格の割引を行うのではなく、いったんは正規の価格で取引がなされ、特定商品の仕入、特定時期の仕入、一定量以上の仕入などを行った際に取引代金の一部が払い戻されるという手法である。よって、取引の際に価格の割引を行うわけではない。なお、流通業者に取扱量を増やしてもらう目的で行われることは正しい。

エ　×：IMCは統合型マーケティング・コミュニケーションと訳されるが、自社とその製品に関するメッセージに明快さや一貫性を持たせるために、さまざまなコミュニケーションツール（広告やSPなど）を統合しようとする考え方である。消費者との双方向のコミュニケーション活動を通して長期的な関係性の構築を目指すが、企業は消費者の心理的側面や行動的側面を理解するコンシューマーインサイトの視点をもつことが重要とされる。よって、企業の視点からコミュニケーションの全体を再構築する活動をIMCというわけではない。

正解　ア

Memo

問題 119 ワントゥワンマーケティング

1 ／ 2 ／ 3 ／

ワントゥワンマーケティングに関する記述として、最も不適切なものはどれか。

ア 既存顧客の維持と顧客シェアの拡大を狙いとする。

イ 顧客との対話により把握した個々の顧客の属性、ニーズや嗜好、購買履歴などに合わせてマーケティングを展開する。

ウ 情報技術を駆使したマスカスタマイゼーションと顧客との長期的な学習関係が鍵となる。

エ すべての顧客層の誘引を図っていく。

解説

スピテキLink▶ 3編9章1節1・3項

POINT ワントゥワンマーケティングとは、IT技術を活用して個々の顧客を把握し、その顧客と1対1の対話を続け、顧客の仕様に従ってカスタマイズした製品・サービスを提供するものをいう。売り手と買い手の長期的な学習関係の構築によって可能となる。

ア ○：正しい。既存顧客の維持と顧客シェア（顧客生涯価値）の拡大を狙いとする。

イ ○：正しい。

ウ ○：正しい。マスカスタマイゼーションとは、大量生産とカスタム化を合成したものである。部品のモジュール化によって大量生産による低コスト化と豊富な製品バリエーションを実現することで、本来高コストである個々の顧客ニーズへの対応を可能とする。

エ ×：ワントゥワンマーケティングでは利益をもたらす顧客が対象であり、顧客の維持が目的である。

正解 ▶ エ

問題120 関係性マーケティングとデジタルマーケティング

1 ／ 2 ／ 3 ／

関係性マーケティングとデジタルマーケティングに関する記述として、最も適切なものはどれか。

ア RFM分析は、最終購買日、購買頻度、購買金額の視点でそれぞれポイントを付けて顧客をランク付けし管理していく個別対応である。

イ 自社の総売上金額のうち、ある特定の顧客が支払った金額が占める比率を顧客シェアといい、アップセルやクロスセルが向上策になる。

ウ オンラインとオフラインがシームレスにつながった買い物体験ができるオムニチャネル化の促進によって、ショールーミングやウェブルーミングがより一層行われやすくなる。

エ 企業が広告を出稿する際、テレビや新聞などのマスメディアはペイド・メディアに分類されるが、個人が運営するウェブサイト上でのアフィリエイト広告は、アーンド・メディアに分類される。

スピテキLink▶　3編7章1節3項、8章2節6項、9章1節3項

POINT 関係性マーケティングとデジタルマーケティングに関する問題である。

ア ×：RFM分析が、最終購買日、購買頻度、購買金額の視点でそれぞれポイントを付けて顧客をランク付けして管理していくことは正しい。しかし、RFM分析は層別対応である。個別対応は、顧客毎に対応を変えていくものであり、顧客との対話などで把握した顧客の属性やニーズなどによってマーケティングを展開していくワントゥワンマーケティングのベースになる考え方である。一方で、層別対応とは顧客をA、B、Cといった具合でランク分けして、ランク毎に対応を変えていくものである。

イ ×：顧客シェアとは、１人の顧客が特定の製品分野に対して生涯を通じて支出する総金額のうち、自社に支払った金額が占める比率のことである。アップセルやクロスセルが向上策になることは正しい。なお、アップセルは顧客が購入したある商品と同種で高額な商品を推奨して販売する行為で、クロスセルは関連した別の商品を推奨して販売する行為のことである。

ウ ○：正しい。オムニチャネルとは現在存在しているさまざまな顧客との接点を統合し、時間や空間の制約なく質の高い顧客体験を提供することを目指す概念である。具体的には、消費者は好きなときに好きな場所で商品を購入することができ、その商品を好きなときに好きな場所で受け取ることが可能になるといったことである。これが可能になってきた背景には、スマートフォンなどの情報端末の普及による消費者の購買行動の多様化や、ビックデータなどを個人の属性と紐付ける事業者側の体制整備などがある。オンライン・オフラインがスムーズに連携されることで、実店舗で商品を見てネット経由で購入するショールーミングや、ネット上で商品を見て実店舗で購入するウェブルーミングが一層行われやすくなる。

エ ×：テレビや新聞などのマスメディアが、ペイド・メディア（対価を支払って得るメディア）に分類されることは正しい。また、個人が運営するウェブサイト上でのアフィリエイト広告（自らのサイトへの訪問客を、広告主のサイトに誘導する成果報酬型の広告プログラム）も、ペイド・メディアに分類される。アーンド・メディアとは、信頼や評価を得るメディアのことであり、主にSNS、ブログ、掲示板などが該当する。

正解 ▶ ウ

Memo

問題121 デジタルマーケティング

1 ／ 2 ／ 3 ／

デジタルマーケティングに関する記述として、最も不適切なものはどれか。

ア クロスメディアとは、複数のメディアを用いて相乗効果を発揮し、消費者に対して訴求していくものである。

イ アーンド・メディアとは、自社が主体となって構築するものであり、自社のWEBサイトから、店舗や従業員といったものまで、企業が所有する多くのメディアが該当する。

ウ リスティング広告とは、インターネットの検索エンジンにおいて、検索された結果の上部に広告バナーを表示するものである。

エ CGMとは、消費者自身が形成するメディアであり、昨今は影響力が増している。

解説

スピテキLink ▶ 3編9章2節6項

デジタルマーケティングとは、電子メディアを活用したマーケティング活動のことである。現代のマーケティング活動はデジタルマーケティングを抜きにして論じることができなくなっている。

ア ○：クロスメディアとは、複数のメディアを用いて相乗効果を発揮し、消費者に対して訴求していくものであり、インターネットの普及に伴い、重要性が高まっている。

イ ×：選択肢の内容はオウンド・メディアについての記述である。アーンド・メディアとは信頼を得るメディアのことであり、具体的にはブログ、掲示板、SNSなどであり、必ずしも自社が主体となって保有しているメディアというわけではない。

ウ ○：リスティング広告とは、ペイド・メディアの一種であり、インターネットの検索エンジンにおいて、検索された結果の上部に広告バナーを表示し、閲覧者がそれをクリックすると、広告主のサイトが表示されるというものである。

エ ○：CGMとは、消費者自身が形成するメディアであり、具体的には、口コミサイト、SNS、ブログといったものである（アーンド・メディアの一種でもある）。昨今は企業側だけでなく、消費者側も情報を発信する環境が形成されているため、これらの影響力は大きさを増している。

正解 ▶ イ

中小企業診断士　2025年度版
最速合格のためのスピード問題集　1　企業経営理論

（2005年度版　2005年3月15日　初版 第1刷発行）
2024年9月25日　初　版　第1刷発行

編著者　TAC株式会社（中小企業診断士講座）
発行者　多田敏男
発行所　TAC株式会社　出版事業部（TAC出版）
〒101-8383
東京都千代田区神田三崎町3-2-18
電話 03(5276)9492(営業)
FAX 03(5276)9674
https://shuppan.tac-school.co.jp
印刷　株式会社　光邦
製本　株式会社　常川製本

ISBN 978-4-300-11408-7
N.D.C. 335

中小企業診断士講座のご案内

合格する人は使ってる。TACの

まずは、試験の概要を知る
（無料セミナー・ガイダンス）

中小企業診断士の魅力とその将来性や、試験概要を把握したうえでの効率的・効果的な学習法等を紹介します。ご自身の学習計画の参考として、ぜひご覧ください。

TAC 診断士 動画　検索

https://www.tac-school.co.jp/kouza_chusho/tacchannel.html

試験問題を詳しく理解する
（本試験分析会）

試験を熟知したTAC講師陣が試験の出題傾向を分かり易く解説。受験生では把握しづらい試験のポイントを効率的に理解することができます。

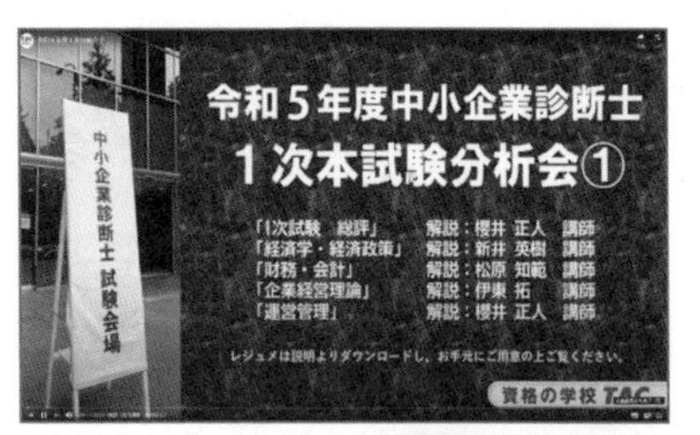

TAC 診断士 分析　検索

https://www.tac-school.co.jp/kouza_chusho/tacchannel.html

試験問題に挑戦してみる
（TAC動画チャンネル）

試験問題の出題の仕方や内容を知ったうえで学習することが効果的な学習へ繋がります。

TACの講師が前回の試験問題を分かり易く解説します。

TAC 診断士 挑戦　検索

https://www.tac-school.co.jp/kouza_chusho/tacchannel.html

効果的な学習法を学ぶ
（TAC特別セミナー）

TACでは、どの時期にどのような学習をしなければいけないのかを丁寧に解説したセミナー・イベントをTACの校舎やWebで適時開催しています。

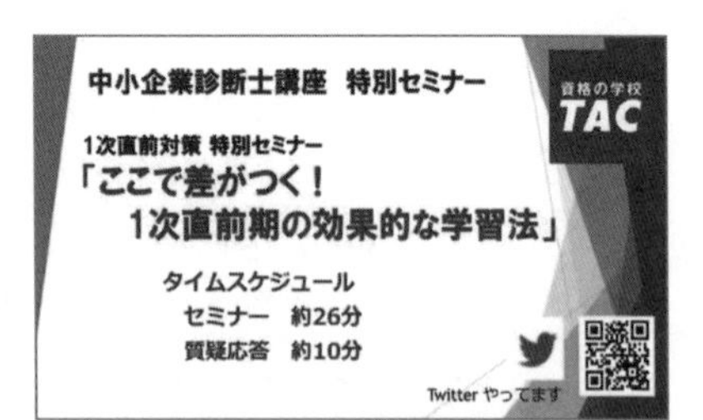

TAC 診断士 セミナー　検索

https://www.tac-school.co.jp/kouza_chusho/tacchannel.html

中小企業診断士講座のご案内

ストレート合格を目指す!
TACを選ぶメリット。それは"効率性"!

学習効果が高まるよう編成された質の高いカリキュラム・講師・教材で構成されるTACのコースを受講することで、無理なく実力をつけることができ、効率的に1・2次試験のストレート合格を狙えます。

専門校を利用するメリット!

戦略的カリキュラム

INPUT&OUTPUTの連動・繰返し学習が効果的!
ムリ・ムダを省いた必要十分な学習量!

2次試験合格の秘訣

スケールメリットが合格の可能性を高める!
新作演習問題・添削指導も充実!

充実のフォロー体制

安心して学習できる環境を整備!
学習メディア別に充実したサポート!

全科目のINPUT(知識習得)とOUTPUT(問題演習)を組み合わせたオールインワンコース「1・2次ストレート本科生」「1・2次速修本科生」を開講しています。

2025年合格目標コース ～豊富なコース設定で効率学習をサポート～

※模試の会場受験にはお席に制限がございます。2次公開模試の会場受験は本科生のみとなり、単科での申込は自宅受験となります。

≪オプション講座≫ ※名称は変更となる場合がございます。日程は予定です。

- ●1次重要過去問チェックゼミ(経営・財務・運営・経済)‥▶3/中旬案内開始
- ●1次「財務・会計」特訓ゼミ‥‥‥‥‥‥‥‥‥▶3/中旬案内開始
- ●1次「経済学」解法テクニックゼミ‥‥‥‥‥▶3/中旬案内開始
- ●2次事例Ⅳ特訓‥‥‥‥‥‥▶8/上旬案内開始
- ●2次事例別過去問対策講義‥▶8/上旬案内開始

※詳細は、案内開始時期にTACホームページおよび資料をご請求ください。

TAC中小企業診断士パンフレット

- 戦略的カリキュラム
- 学習メディア・フォロー制度
- 開講コース・受講料
- 無料体験入学のご案内

など

資格&試験ガイド

- 中小企業診断士の魅了
- 実務家インタビュー
- 試験ガイド
- 学習プラン

など

TAC合格者の声

祝賀会・東京会場

表面的な理解ではなく、根本から理解をすることができた

長山 萌音さん

「財務・会計」が苦手で1年目に独学で勉強していた際には理解しないまま試験を受けておりました。そこでTACに通学し、わからない箇所を講師の方に聞くことで、表面的な理解ではなく、根本から理解をすることができました。また、講義の中で効率的な勉強方法をご教示いただき、勉強への取り組み方を身につけることができました。TACを選んだ理由は、①生徒数が多く、合格ノウハウが集まっている、②一次試験から二次口述試験までのカリキュラムが組まれているため、試験ごとの情報収集や模試の検討などの手間が省けると感じたからです。

TACを活用し本来行うべき学習に集中して労力を割く

中尾 文哉さん

学習開始が12月上旬だったため、1,000時間の逆算が成り立たず、合格の為に効率を求めたこと、初回の受験で全体像を把握しながら学習ができるガイドラインや合格の為のノウハウを徹底的に仕入れたかったため、TACのWeb通信講座を受講しました。講義動画がリリースされるタイミングや、各科目のまとめテストの「養成答練」の提出期限も含め、すべてTACのノウハウに基づいてスケジュール化されています。その為、進度管理には労力をかけず、TACが敷いてくれた時間軸のレールの上で本来行うべき学習に集中して労力を割くことができました。

中小企業診断士講座のご案内

学習したい科目のみのお申込みができる、学習経験者向けカリキュラム

1次上級単科生（応用+直前編）

- □ 必ず押さえておきたい論点や合否の分かれ目となる論点をピックアップ!
- □ 実際に問題を解きながら、解法テクニックを身につける!
- □ 習得した解法テクニックを実践する答案練習!

カリキュラム ※講義の回数は科目により異なります。

←1次応用編 2024年10月～2025年4月→ ←1次直前編 2025年5月～→

1次上級講義
［財務5回／経済5回／中小3回／その他科目各4回］
講義140分/回
過去の試験傾向を分析し、頻出論点や重要論点を取り上げ、実際に問題を解きながら知識の再確認をするとともに、解法テクニックも身につけていきます。
［使用教材］
1次上級テキスト
（上・下巻）
（デジタル教材付）

➡INPUT⬅

→

1次上級答練
［各科目1回］
答練60分＋解説80分
1次上級講義で学んだ知識を確認・整理し、習得した解法テクニックを実践する答案練習です。
［使用教材］
1次上級答練

⬅OUTPUT➡

→

1次完成答練
［各科目2回］
答練60分＋解説80分/回
重要論点を網羅した、TAC厳選の本試験予想問題による答案練習です。
［使用教材］
1次完成答練

⬅OUTPUT➡

→

1次最終講義
［各科目1回］
講義140分/回
1次対策の最後の総まとめです。法改正などのトピックを交えた最新情報をお伝えします。
［使用教材］
1次最終講義レジュメ

➡INPUT⬅

1次試験【2025年8月】

1次養成答練 ［各科目1回］ ※講義回数には含まず。
基礎知識の確認を図るための1次試験対策の答案練習です。
（配布のみ・解説講義なし・採点あり）

⬅OUTPUT➡

さらに！ 「1次基本単科生」の教材付き！（配付のみ・解説講義なし）

◇基本テキスト（デジタル教材付）　◇講義サポートレジュメ　◇1次養成答練　◇トレーニング　◇1次過去問題集

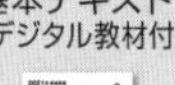
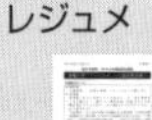

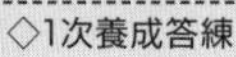

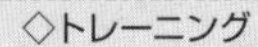

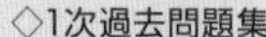

開講予定月

◎企業経営理論／10月　◎財務・会計／10月　◎運営管理／10月　◎経済学・経済政策／10月
◎経営情報システム／10月　◎経営法務／11月　◎中小企業経営・政策／11月

学習メディア

教室講座　ビデオブース講座　Web通信講座

1科目から申込できます! ※詳細はホームページまたは資料をご請求ください。（右上参照）

書籍のご購入は

1 全国の書店、大学生協、ネット書店で

2 TAC各校の書籍コーナーで

資格の学校TACの校舎は全国に展開!
校舎のご確認はホームページにて

資格の学校TAC ホームページ
https://www.tac-school.co.jp

3 TAC出版書籍販売サイトで

CYBER BOOK STORE TAC出版書籍販売サイト

TAC 出版 で 検索

24時間ご注文受付中

https://bookstore.tac-school.co.jp/

新刊情報をいち早くチェック!

たっぷり読める立ち読み機能

学習お役立ちの特設ページも充実!

TAC出版書籍販売サイト「サイバーブックストア」では、TAC出版および早稲田経営出版から刊行されている、すべての最新書籍をお取り扱いしています。
また、会員登録(無料)をしていただくことで、会員様限定キャンペーンのほか、送料無料サービス、メールマガジン配信サービス、マイページのご利用など、うれしい特典がたくさん受けられます。

サイバーブックストア会員は、特典がいっぱい!(一部抜粋)

通常、1万円(税込)未満のご注文につきましては、送料・手数料として500円(全国一律・税込)頂戴しておりますが、1冊から無料となります。

専用の「マイページ」は、「購入履歴・配送状況の確認」のほか、「ほしいものリスト」や「マイフォルダ」など、便利な機能が満載です。

メールマガジンでは、キャンペーンやおすすめ書籍、新刊情報のほか、「電子ブック版TACNEWS(ダイジェスト版)」をお届けします。

書籍の発売を、販売開始当日にメールにてお知らせします。これなら買い忘れの心配もありません。

書籍の正誤に関するご確認とお問合せについて

書籍の記載内容に誤りではないかと思われる箇所がございましたら、以下の手順にてご確認とお問合せをしてくださいますよう、お願い申し上げます。

なお、正誤のお問合せ以外の**書籍内容に関する解説および受験指導などは、一切行っておりません。**
そのようなお問合せにつきましては、お答えいたしかねますので、あらかじめご了承ください。

1 「Cyber Book Store」にて正誤表を確認する

TAC出版書籍販売サイト「Cyber Book Store」の
トップページ内「正誤表」コーナーにて、正誤表をご確認ください。

CYBER BOOK STORE TAC出版書籍販売サイト

URL:https://bookstore.tac-school.co.jp/

2 1の正誤表がない、あるいは正誤表に該当箇所の記載がない ⇒ 下記①、②のどちらかの方法で文書にて問合せをする

★ご注意ください★

お電話でのお問合せは、お受けいたしません。

①、②のどちらの方法でも、お問合せの際には、「お名前」とともに、
「対象の書籍名(○級・第○回対策も含む)およびその版数(第○版・○○年度版など)」
「お問合せ該当箇所の頁数と行数」
「誤りと思われる記載」
「正しいとお考えになる記載とその根拠」
を明記してください。
なお、回答までに1週間前後を要する場合もございます。あらかじめご了承ください。

① ウェブページ「Cyber Book Store」内の「お問合せフォーム」より問合せをする

【お問合せフォームアドレス】

https://bookstore.tac-school.co.jp/inquiry/

② メールにより問合せをする

【メール宛先　TAC出版】

syuppan-h@tac-school.co.jp

※土日祝日はお問合せ対応をおこなっておりません。
※正誤のお問合せ対応は、該当書籍の改訂版刊行月末日までといたします。

乱丁・落丁による交換は、該当書籍の改訂版刊行月末日までといたします。なお、書籍の在庫状況等により、お受けできない場合もございます。
また、各種本試験の実施の延期、中止を理由とした本書の返品はお受けいたしません。返金もいたしかねますので、あらかじめご了承くださいますようお願い申し上げます。

TACにおける個人情報の取り扱いについて
■お預かりした個人情報は、TAC(株)で管理させていただき、お問合せへの対応、当社の記録保管にのみ利用いたします。お客様の同意なしに業務委託先以外の第三者に開示、提供することはございません(法令等により開示を求められた場合を除く)。その他、個人情報保護管理者、お預かりした個人情報の開示等及びTAC(株)への個人情報の提供の任意性については、当社ホームページ(https://www.tac-school.co.jp)をご覧いただくか、個人情報に関するお問い合わせ窓口(E-mail:privacy@tac-school.co.jp)までお問合せください。

(2022年7月現在)